JN106395

平野恵嗣

ものいう技術者たち

「現代技術史研究会」の七十年

太郎次郎社エディタス

もの言う技術者たち

——「現代技術史研究会」の七十年

プロローグ　技術者として声をあげる

東日本大震災が起きた二〇一一年三月十一日、後藤政志（ごとうまさし）は東京・調布にある電気通信大学で、技術情報などの輸出管理について講演中だった。終了まぎわに突然大きな揺れに見舞われ、会場は騒然となった。揺れが収まり、講演はなんとか終えたが、首都圏の交通網は遮断されてその日は神奈川県の自宅に戻ることができず、都内にある建設作業員向けの宿泊施設で一夜を過ごす。食堂にもコンビニエンスストアにも食べ物は残っておらず、テレビでニュースを見ることもできなかった。

東京電力の福島第一原子力発電所で原子炉が冷却できない状態になっており、原子炉格納容器内の圧力が設計条件の二倍近くまで上がっていると知ったのは、翌日になってからだった。

後藤は電機大手の東芝を停年退職して約二年。会社では原子力発電所の原子炉格納容器の設計に携わる技術者だったこともあり、福島で起きたのは、一九七九年三月の米国東部ペンシルベニア州スリーマイルアイランド原発での炉心溶融（メルトダウン）事故をはるかに超える大惨事になる可能性があることはすぐにわかった。何かしなければという思いに駆られ、いったん帰宅したあとに出向いたのは、東芝時代からつきあいのあったＮＰＯ法人「原子力資料情報室」の都内の事務所だった。

それから三か月あまり、近くのホテルに泊まり込み、福島の状況の推移や、政府と東京電力の発表をウォッチしながら、情報室のスタッフらとともに事故の現状分析を行ない、自分にわかる範囲の情報を連日、動画配信サイト「ユーストリーム」を通じて実況中継に近いかたちで発信する日々が続くことになる。

政府と東電の公式発表やテレビで放送される現場の状況などをもとに、一つひとつの現象をどう解釈すべきなのかを、元原発技術者という自分の立場を明らかにしたうえで視聴者に伝えた。

事故発生直後、メディアに登場する一部の原子力専門家らが一～三号機のメルトダウンを認めていなかった段階で、後藤は、放射能漏れが生じていたことや原子炉建屋で水素爆発が起きていたことなどを受け「炉心溶融が起きていると見ざるをえない」と報告していた。

震災発生から二日後の記者会見では、原発事故の首都圏への影響について問われ、ソ連・チェルノブイリの原子力発電所での炉心溶融では放射性物質が雨雲に乗って数百キロ先に降下したことを挙げ、「福島で炉心溶融が起きているとすれば、東京は大丈夫などとは言えないし、原発周辺住民の避難対象も十キロ、二十キロなどというレベルではない」と警鐘を鳴らした。

原子力専門家とは相反する見解を公表できたのは、政府や東電の対応の遅れにより、福島第一原発周辺の住民らがしなくてもいい被曝をしているのではないかという不安と、そういう人たちを早く避難させなければという焦りにも似た気持ちからだった。的確な情報を提供しているようには思えない「専門家」たちに対しても、原発についてよくわかっていないのではないか、原発の仕組みは理解していても被害を少なく見せかけることに加担しているのではないか、としか思えなかった。

国内の主要報道機関だけでなく、十数か国の海外メディアの取材にも積極的に応じながら、「原発についての練習問題をつぎつぎに突きつけられる学生のような気分」を味わっていたが、楽観視を戒めるようなみずからの指摘は、あとから検証すると「残念ながら、九割方はあたっていた」という。

それまで後藤は、原発には批判的な考えをもちながらも、原子力事業を進める勤務先との軋轢を避けるため、それを表立って明らかにすることは控えてきた。しかし、未曽有の大惨事に直面し、原子力にかかわった技術者として、正確な情報を社会に提供することは自分自身の義務だと考えるようになった。実名を明らかにし、本音でものを言うという初めての体験は、ある種の解放感に満ちたものだった。

それ以降、後藤はテレビの討論番組などにもたびたび出演し、脱原発の立場から積極的に発言を続けるようになるのだが、その決断の支えとなったのは「現代技術史研究会」（現技史研）という集団の存在だった。

現技史研は、企業や官庁に所属する技術者や大学などに籍をおく研究者らが、戦後の日本における「技術」のあるべき姿をともに模索し、さまざまな課題について組織の枠を越えて議論を重ねながらおたがいを高めあおうとしてきたグループだ。

会が発足したのは、敗戦後の混乱期から高度経済成長の黎明期へと進むなかで、復興に向け科学技術や技術者がもてはやされるようになる時代。会員らは、技術の発展の一翼を担っているという気概をもちながらも、一方で、技術や経済の成長過程で生じた公害や環境破壊にみずからも加担しているのではないかという「加害者性」も強烈に意識していた。

会の議論では、大量生産・大量消費がもたらす廃棄物の増加や、コンピュータリゼーションによる職場の合理化や人間疎外、また、航空機や列車、原発などの大規模事故も俎上に載せた。ときには所属企業の経営方針とは相反するような議論が展開されることもあり、その内容を本や雑誌などで公表する場合は、それぞれの組織内で不利益を被ることのないよう、多くの会員はペンネームを使った。

現技史研が廃棄物処理や原発などの問題と直接対峙し、会としてなんらかの態度表明をすることはなかったが、会員らはそれぞれの専門知識を市民運動にかかわる人たちに秘かに提供するなどして、その動きをサポートしてきた。いわば「秘密結社」のような集団である。

企業の内部にいても、組織に盲従することなく、自立した一技術者、一人間として社会と向きあう。自分の理想を実現するため、したたかに行動する。そんな仲間の存在に会員たちはたがいに支えられ、刺激を受けてきた。後藤もそのひとりである。

「技術者として何をすべきかを自分なりに考え、それを現技史研にもちこんで、東芝の技術者も日立の技術者もいっしょに議論する。そこで学んだことをベースにして生きていく。自分にとって現技史研は、そういう場です。そこで出会った仲間があちこちにいて、自分はひとりじゃないと思える体験がなければ、原発事故について実名で情報発信を始めたとき精神的にもたなかった」

通信社の記者である私自身は、茨城県東海村の核燃料加工会社ＪＣＯで起きた臨界事故や「公害の原点」とされる水俣病などについてのささやかな取材体験をとおして、科学技術のもつ危うさを漠然と感じてはいたが、震災発生後、刻々と伝えられる福島の状況には大きな衝撃を受けた。原子炉建屋の水素爆発の映像などを見ながら、これからも首都圏での生活や仕事を続けることができるのだろうかと不安になったことをはっきりと覚えている。

その後、私たちの生活はあるていどの落ち着きをとり戻し、技術や経済成長への盲信を背景に、原発の再稼働を求める声も高まった。「喉元過ぎれば熱さを忘れる」ような風潮をにがにがしく見ていたときに、技術を推進する立場にありながら、ときとして技術そのものに懐疑的な目を向けてきた人たちがいることを知った。

ポスト福島の社会が進むべき道を考えるさい、現技史研の会員たちの声に耳を傾けることで、成長一辺倒ではない方向性を示すことができるのではないか。技術者たちの体験をとおして、視点の違う戦後史がみえてくるのではないか。そんな期待から、会員たちを訪ね歩き、それぞれの思索や活動の軌跡を記録してみようと思いたった。

第1章

公害と対峙する

現代技術史研究会の誕生――星野芳郎

「現代技術史研究会」のルーツは、戦後まもない一九四六年一月に創設された「民主主義科学者協会」（民科）にさかのぼる。

戦中、軍需産業に関係していた多くの科学者・技術者は敗戦で職を失い、自分たちの生活基盤の再構築を迫られていた。みずからの暮らしを守るとともに、日本の再建に向けその能力を十分に発揮できる環境をつくるための組織が必要だとの声が高まり、結成されたのが「民科」である。その事務局員として機関誌『自然科学』の編集などを担当していたのが、東京工業大学を卒業し、のちに技術評論家となる星野芳郎（一九二二―二〇〇七年）だった。

大学で学生新聞の編集長を務めていた星野は早くから日本の敗戦を確信し、日本が戦争にのめりこんでいった背景、敗戦の理由、戦後の技術のあるべき方向性の三点の探究を、生涯にわたり考えつづけるテーマとしてみずからに課したのだという。

民科での仕事に加え、星野は一九五一年ごろから、技術発展の歴史や技術がからむさまざまな問題に対する関心を共有して集まった東京大や東京都立大、早稲田大、東京理科大などの学生らの自主ゼミ「技術史ゼミナール」に、チューター（指導者）としてかかわるようになった。東京・尾山台の星野の自宅で、テキストを参考に参加者が順番に報告し討論するというかたちで研究を進め、他団体との合同シンポジウムなども開催していた。

当時の学生たちのなかには、一九五〇年六月の朝鮮戦争勃発を受けて、いまは平和運動をしている自分たちも就職したら技術者として軍需工場で働くことになるのではないかと、将来を思い悩む者もいた。星野は「ミイラ取りがミイラになってしまうような自信のない者はともかく、そうでなければ、兵器をつくりながら平和運動をするべきだ」と、現場に身をおきながら自分にできることを模索し、行動するよう背中を押していたのだった。星野はその後、立命館大や帝京大で計二十二年間、教壇に立ち、学生たちの指導を続ける。

技術史ゼミナールは一九五二年六月、軍事技術ゼミナールという別の団体と共同で、会誌『技術史研究』の発行を始める。その「創刊の辞」は、技術は「人類の新しい可能性をいくつも生みだしてゆきつつある」一方で、ふたたび戦争にも利用されようとしており、「人類の破滅を招くものとして恐れられている」と指摘。こうした矛盾を背景に、技術のたどってきた道やそのあり方に対する関心が高まっており、「正しい技術を求める強い意欲」にもとづき議論してきたこのサークルの研究成果を世に問うための発表媒体が『技術史研究』であると記されている。

創刊号は六十四ページで、「第二次産業革命」と「日本近代軍事技術の成立」のふたつの特集が組まれている。前者では、十九世紀後半からの第二次産業革命の歴史的意義について、「資本主義を帝国主義の段階へとつきやる役割を果たし……（資本主義の）腐朽と没落の道を示すもの」と星野が位置づけた論文などが並び、後者では「平和を論ずるためにこそ、戦争そのものを科学技術的に分析しなければならない」との立場からの共同研究の成果が紹介されている。

技術史ゼミナールに参加していた学生たちは卒業後も連絡をとりあい、それぞれの勤務先の同僚なども巻き込みながら勉強会を開催。一九五五年には「現代技術史研究会」と名称を改めて活動を続けていくのである。

例会の会場も個人宅から都心の公共施設に移り、それを機に、著名な研究者や現場の技術者など多彩な顔ぶれが参加するようになる。研究課題としては、原子力やエレクトロニクス、オートメーションや石油化学など、最先端の技術問題の検討に焦点を当てるようになっていった。当時の関係者によると、例会のテーマ設定には「星野さんのイニシアチブが大きかった」という。

現技史研が本格始動

会誌『技術史研究』には論文調の原稿が並んでいたが、それとはべつに、会員同士が交流できるような媒体があってもいいのではとの声もあり、「気がるに何でも書ける場」として『現代

東京・四谷での現技史研総会。前列の右から４人目が星野（1957年）

技術史研究会会報』の発行も始まった。一九五六年七月七日付けの第一号はガリ版刷りの誌面で、その月の例会を「原子力発電の現段階」というテーマで、新橋駅に近い蔵前工業会館で開催すると告知している。

第二号では七月の例会について、原発の導入に反対する場合、今後の日本の進路を具体的に示すことができるのかという議論があったことなどを報告。原子力の研究・開発・利用を平和目的に限定した「原子力基本法」が施行されたのはこの年の一月だが、現技史研はその半年後には原発の是非について突っ込んだ検討をしていることが、この会報から読みとれる。

原子力に関する議論はその後の例会でも続き、一九五九年十月には、米国の原子力研究の状況や原子力施設の設計計算などについて視察した会員による報告が行なわれた。電源開発会社に所属する会員は、前年から十か月間米国に滞在し、原子力大手ウェスチングハウス・エレクトリックなどでの研修に「原子力留学生として」参加した。同年十一月発行の会報・第三五号によると、米国で「民間用、商用の原子炉だけをあつかっている会社は、つぎつぎにつぶれて、軍需によるもうけをもっている会社だけが、民間用原子炉の開発を行うことができる」のだとのレポートがあったという。

また、原子炉はかならず事故を起こすということが常識になっており、たんなる計算だけでは信頼できないと考えられていることから、新しい原子炉をつくるさいはどこの会社も、三分の一から二分の一の実物模型で実験を行なうのだという。「それほど原子炉設計には未知の要素、不測の事態」が多く、標準の設計法が確立していないために「実際規模に近いテストを行う必要」があり、多額の費用もかかることから、軍需による利益がある企業でないと民間用原子炉の研究には踏みきれない。「当分の間、原子力は採算にあわないというのがアメリカの常識であり、原子炉は設計どおりに作っても、必ず不測の事故を生じている」と報告されたことが記されている。

それから約十年後の一九六八年十一月発行の会報・第一四四号では、研究会内部の災害分科会で「原子力は危険なものだが、なんとかそれを制御して安全な形で利用しようという努力が（賛成側・反対側の）両側に欠けている」などという議論があったことも紹介されている。

ところで、現代技術史研究会は一九五七年五月に第一回の全国総会を開催した。組織として正式に「会則」を定め、それにもとづいて会の運営を進めることが必要になったからだった。総会をまえにした五月十日には、「総会特集」と題する会報が発行され、「会則案」が示された。このなかで、会の性格を「現代的な観点から技術史を学ぶことを目的とする研究会である。この研究会は日本の技術の発展を願い、日本の技術を国民のものにすることを願う立場にあるが、会として一定の世界観や技術論をとるものではなく、従って会員個人の技術観、世界観もまた特定のものであることを要しない。共通の立場から出るさまざまな意味を検討し合うことによって一歩一歩正しいものが見出されて行くものと思う」と記している。また、この年の三月二十四日時点での正会員数は、学生三十一人を含めた計百十二人とも報告されている。

星野芳郎

会の事業として、月一回の例会を東京都内で開催することや、会報を月一回、会誌『技術史研究』を年二回発行すること、会員有志により出版などを目的とした特別研究会を開くことなども提案されている。

特集号ではまた、発足当初からのメンバーらが、勉強会が始まったころの様子をふり返っている。当時は、共産党員やその支持者らを公職や民間企業から解雇・追放する「レッドパージ」が連合国軍総司令部（ＧＨＱ）の指示により大規模に行なわれ、朝鮮戦争を背景に現在の自衛隊の前身である「警察予備隊」が発足するなど、「日本の再軍備が始められ、工業の軍事化が急速にすすめられていた」時代。そんな状況下で「技術と社会の関係を研究して、将来技術者として立っていくときの生き方を論じ合って行こう」としていたのが現技史研だったという。

特集号の最後で星野は、現技史研は都内の工学部の学生のサークル的なものから、全国のさまざまな職場を含めた「広い研究会組織へと発展」し、会員に「現代技術の将来の方向、歴史的な位置づけ、そのもたらす社会経済的諸問題等々を討論し、互いに見解を広く深くする場所を提供する」ようになってきたと評価、今後も現代社会に目を向けながら、技術をめぐる問題の解決を模索していく決意を記した。

一方、多種多様な現場で日常的に、具体的なかたちで起きている問題に現技史研が対応すべきかどうかという点については、会とはべつに、それぞれの分野の専門家が集まって個々の課題に取り組み、それを現技史研が積極的にサポートする態勢が望ましいとの考えを示した。

現技史研が組織としてなんらかの社会運動にかかわることはしないが、個々の会員らがそれぞれの専門知識と技能を社会に還元していくという方針は、その後、さまざまなかたちで実現していく。

その先駆的な役割をはたしたのが、宇井純（一九三二―二〇〇六年）である。みずからの知識と技術を動員し、水俣病の原因究明などに取り組んだ。

水俣病を追う技術者――宇井純

宇井は一九三二年生まれ。東京大学工学部応用化学科の出身で、民主主義科学者協会を経て現代技術史研究会に加入した。一九五六年に、ポリ塩化ビニールを生産していた日本ゼオンに入社。そこで、廃棄物の水銀を下水などに投棄する経験をし、退職後に水俣病について個人の立場で調査を始める。

水俣病は、化学工業メーカーのチッソが熊本県水俣市の工場から毒性の強いメチル水銀を海中に排出し、汚染された魚介類を食べた住民らが感覚障害や運動失調を発症した公害病である。胎児期に母親が汚染魚を摂取したことが原因で言語機能などに重い障害を負った胎児性患者の存在も知られている。のちに宇井は、自分も川に流したことのある水銀が水俣病のような重篤な病を引き起こすことについて「加害者としての立場から」調査を始めた、と書いている。その結果、工場排水問題の重大性を認識し、それが一生の研究テーマとなる。

戦後、豊かな生活を追い求めるなかで起きた公害のメカニズムを解明し、告発した宇井は、再発を防ぐためには社会科学なども含めたあらゆる分野の知識が必要と考え、一九七〇年からは「生きるために必要な学問」として自主講座「公害原論」を主宰、広くその名を知られるようになった。

こうした姿勢に影響を受けた現技史研の会員のなかには、自分が働く工場からは公害を出さないとの決意のもと、生産工程の大幅な見直しを実現した技術者もいた。

宇井が日本ゼオンに入社したのは、米国の会社の資本が入り、そこから技術導入もしている企業で、「先輩もいないし、これから中味のできる会社だからおもしろいだろう。技術導入の実態も見てやろうと思った」からだった。

入社後は希望どおり、建設が始まったばかりの富山県・高岡工場に配属となる。「工場建設の一通りの工程を経験することができるだろう」との期待があり、土地へのくい打ちやトロッコの線路引きから仕事を始め、一年半を過ごす。その後は東京と大阪で営業の仕事なども担当。ちょうど、フラフープというプラスチック製の輪を腰で回す遊びがはやったころである。忙しいサラリーマン生活を送っていたが、一九五九年に退社して、母校である東大の大学院で研究生となる。もともと「三〜五年、月給をもらいながら勉強したら次にどうするかを考え直そう」というつもりでの就職だったし、仕事上の接待や運動不足などで体調も崩していた。

その夏、熊本県水俣市の海沿いの集落などで報告されていた、歩行障害や言語障害、狂躁状態などを発症する「奇病」について知り、「ふと日本ゼオンの現場で何の気なしにしばしば流していた水銀のことを思い出して、水俣病と水銀の関連を調べはじめた」とのちに記している。

水俣病は一九五六年五月一日、水俣市のチッソ附属病院の院長、細川一（一九〇一―一九七〇年）が脳疾患のような症状で発症した患者数人について水俣保健所に報告したことで、その存在が「公式に確認」された。その後、熊本大学の研究者らが、水俣病の原因物質はチッソ水俣工場から水俣湾に排出された有機水銀であると発表。ポリ塩化ビニール（ＰＶＣ）の製造過程で使用した水銀の廃棄にかかわった経験をもつ宇井は、その研究結果に衝撃を受け、アルバイトで費用を捻出しては水俣に通い、調査を続けることになる。現代技術史研究会のメンバーにも、「おれは（水銀を）下水に流していた」と話したことがあったという。

日本ゼオンを退職していた宇井のアルバイト先は、大阪勤務時代に知りあったスクラップ屋で、ＰＶＣの配合について助言することで月一万円の報酬を得ていた。「スクラップ屋とのつき合いは向こうがつぶれるまで二年あまり続いたが、この金が水俣に通うのを大いに助けてくれた」（『技術史研究』第七四号）という。

調査の内容については、一九六三年三月発行の『技術史研究』第二三号から「富田八郎（とんだやろう）」のペンネームで連載記事を書きはじめていた。その初回で、水俣病は「悲惨な公害の歴史のうちでも、その規模と深刻さの点で」社会の注目を集めた事件だと位置づけた。「原因究明と対策までの研究経過、事件に対するいろいろな利害関係のからみ合いと各階層の反応、研究調査の結果得られた知見など、それぞれ典型的な側面をもち、この事件の解明は今後に予想される公害の研究、対策に貴重な示唆を含んでいるために、ここに詳細に報告する必要がある」。よって今後、十数回にわたって会誌にレポートを寄せると予告。化学に関するみずからの専門知識にもとづき、水俣病事件の経過や原因究明に向けた熊本大学研究班の活動などを記している。三十歳のときだった。

一介の大学院生にすぎない自分の発言など、だれもまともにとりあってはくれないだろうとの考えから本名を明かさずにペンネームを使ったのだが、一九六五年には新潟県でも、昭和電工鹿瀬工場から阿賀野川に排出されたメチル水銀で魚が汚染され、それを食べた住民が手足の感覚障害や視野狭窄を発症した新潟水俣病が確認される事態となった。宇井はのちに、熊本での調査結果について本名でもっと広く公表していれば、この第二の水俣病の死者や患者の数を少しでも減らすことができたかもしれないという自責の念にかられることになる。

水俣病の真相に迫る

宇井は、写真家をめざして水俣で取材していた若者を現地調査に引き込み、水俣病の真相に迫る重要な事実を暴きだしたこともあった。その若者が、のちに日本を代表するフォト・ジャーナリストとなる桑原史成（くわばらしせい）である。

ふたりでチッソ附属病院の若い医師と面会したさい、医師が短時間、席をはずしたすきに、テーブルの上に残していったチッソ社内の研究班による実験データの記録を秘かに接写した。その書類には、工場排水をネコに与えたところ水俣病の症状があらわれたことなどが記されていた。水俣病の原因については論争が続いていたが、会社はすでに、工場排水による発症を確認していたことになる。

その撮影場面を、桑原ははっきりと記憶している。「宇井さんに『ここだ、ここだ』と小声で指示されて、二十枚近く接写しました。カメラはニコンF。あわてていたんでライティングもへったくれもなくて、露出は自分で適当に勘ぐって、椅子から立ち上がって撮りました」。無許可での秘密の撮影は、医師が部屋に戻る足音がするまで続いた。

宇井と桑原はその後、水俣病の発生を初めて確認したチッソ附属病院の細川院長のもとを訪れ、接写した書類の内容の真偽を尋ねる。すでにチッソを退社し、郷里の愛媛県大洲市で暮らしていた細川は、書類は本物で内容は正しいことや、ネコによる実験で発症を確認したことは秘密にするよう会社から命令を受けたことなどを明らかにした。

それ以降、細川は宇井をサポートするかたちで、新潟でも確認された「第二の水俣病」の現地調査に同行するなどした。病を得て入院してからは水俣病裁判の臨床尋問でネコ実験について証言し、その三か月後に亡くなった。

宇井自身は、新潟水俣病の患者らが原因企業の昭和電工に対して起こした損害賠償請求訴訟で原告弁護団の補佐人を務め、ふたつの水俣病へのかかわりを深めていった。一九七〇年五月には、厚生省（当時）補償処理委員会が熊本水俣病被害者に対し低額の補償をあっせんしたことに抗議して、省内の調印会場に座り込み、逮捕された。結局は不起訴で終わったのだが、このときの拘置体験を「牢名主の傷害のヤクザの兄ちゃんは、政治犯は特別だと親切にしてくれた上に、お別れの晩には浪花節を一曲歌ってくれた……三泊四日で帰って来られて、まことに得難い体験となった」と、茶化して書いたりもしている。

「公害原論」から沖縄へ

水俣病にかかわりつづけながら宇井は、一九六八年夏から一年間、世界保健機関（WHO）の研究員として公害の比較調査を行なうため、欧州各地を回る機会を得た。旧チェコスロバキアに滞在中には、ソ連軍が侵攻し民主化運動「プラハの春」を弾圧した「チェコ事件」に遭遇、オーストリアのウィーンに退避する経験もした。

帰国後、所属していた東京大学に対し、公害に関する講義の開講を提案したが受け入れられず、それならと、夜間に空いている教室を使い、学生だけでなく市民も自由に参加できるような講義をやってみようと始めたのが、自主講座「公害原論」である。

一九七〇年十月十二日付けの「開講のことば」で宇井は、こう記している。

「公害の被害者と語るときしばしば問われるものは、現在の科学技術に対する不信であり、憎悪である。衛生工学の研究者としてこの問いをうけるたびに我々が学んで来た科学技術が、企業の側からは生産と利潤のためのものであり、学生にとっては立身出世のためのものにすぎないことを痛感した」「立身出世のためには役立たない学問、そして生きるために必要な学問の一つとして、公害原論が存在する……この講座は、教師と学生の間に本質的な区別はない。修了による特権もない。あるものは、自由な相互批判と、学問の原型への模索のみである。この目標のもとに、多数の参加をよびかける」

講座の「第一学期」は宇井自身が十三回の講義をし、一回につき百円の聴講料を徴収、資料代や調査のための旅費などにあてたが、講義内容がつまらなければ返却することにしていた。「おもしろくなければ木戸銭を返すという約束で講義をするというのは、大学では普通にはないことであり、百円玉の山は私にたえず緊張感を抱かせた」という。

もうひとつの受講生との約束ごとは「当時の学内情勢を反映して、会場内のやりとりは言論に限り、ゲバ棒は持ちこまないこと」だった。前年には東大安田講堂を占拠した学生たちが機動隊に排除される「安田講堂事件」があり、自主講座が始まった一九七〇年の三月には、日航機「よど号」が赤軍派に乗っとられる日本初のハイジャック事件が発生。日米安保条約が自動延長となった六月の反安保全国統一行動には七十七万人が参加するなど、大学のキャンパスは揺れていた。

翌一九七一年四月からの講座「第二学期」は、受講生から講義を聴きたいとの希望が多かった講師と宇井との対談形式で進められ、水俣の人びとの声を伝える『苦海浄土』の著者、石牟礼道子（一九二七―二〇一八年）や、明治時代に栃木県の足尾銅山で起きた足尾鉱毒事件について書いた社会主義運動家の荒畑寒村（一八八七―一九八一年）をはじめ、多彩なゲストを教室に迎えた。

自主講座には他大学の学生や社会人など、予想より多くの受講生が集まり、そのなかの有志が、講義資料の印刷などの準備を進めるため実行委員会を結成。毎回の講義の録音テープを文字に起こす作業も分担して行ない、講義録として販売。それが亜紀書房から『公害原論』として出版された。

宇井純（撮影：桑原史成）

この自主講座を裏方として支えていたスタッフのひとりが、モーターなどを製造する中小企業で技術者として働いていた山路靖雄（やまじやすを）である。子どものころからの電車好きが高じて、機械工学を学ぼうと地元の群馬大学工学部に進学、文化祭で星野芳郎の講演会を企画したのが縁で現代技術史研究会に入会し、宇井と知りあった。宇井の新潟水俣病の現地調査に同行するなどして親交を深める。

「自主講座を始めることになり、宇井さん自身があちこち飛びまわるわけにもいかないから、私が会場の設定だとかスタッフのとりまとめだとかの雑用を引き受けていきました」。仕事を抱えながらも力を貸そうと思ったのは、立場や肩書とは無関係に多くの市民と「生きるために必要な学問」を進めていこうという宇井の心意気に共感したからだった。

講座の開始から半世紀以上も過ぎ、八十代半ばになっていた山路は、「宇井さん、面白い人でしたね。飲んべえで健啖家。たくさん飲んで食べていたから、あれだけいろいろなところを歩きまわれたんでしょうね」とふり返っている。

講座は一九八五年まで続き、二万人が聴講したという。このなかには、のちに現技史研に入会する大学生も何人かいた。

東大では「万年助手」だった宇井は自主講座終了の翌年、沖縄大学の法経学部教養科教授に就任。着任早々、「開発か環境か」で議論があった新石垣空港建設反対運動に参加するなど、現場に立脚した活動を続けた。ある卒業生は「宇井先生の下では、机に座ったままというのは許されませんでした。本を読むのは当たり前で、現場で学んだものでなければ役に立たないという方針です」（『沖縄大学論』、二〇一八年）と語っている。沖縄の学生たちとも国内外を歩いて公害調査を行ない、二〇〇三年に同大学を退職。三年後の二〇〇六年十一月に七十四歳で死去した。水俣病発生の公式確認から、ちょうど半世紀にあたる年である。

宇井と写真家の桑原とのつきあいも、宇井が亡くなるまで続いた。「宇井さんは公害問題につ

桑原史成

いて、国家と企業と個人それぞれのかかわり、みたいな視点から話をしてくれて、それが僕の取材でも血や肉になっていたんじゃないかと思いますね」と桑原は言う。

桑原について宇井は、富田八郎名での連載初回の末尾で「このおそろしい病気に立ち向かった若い無名のカメラマン」と紹介。その作品について「三年間にわたって、患者ひとりひとりの家へ泊まりこみ、密漁船に乗りこみ、水俣湾の魚介類を食べながら水俣病の社会面を追った労作」と評価している。

ふたりがそれぞれのやり方で水俣を記録していた若い時期、いつも近くにいたのに、桑原が宇井にカメラを向けたことは一度もなかった。「あとであれほど有名になるとも思っていなかったし、撮りたいなんて思うことはぜんぜんなかったですね」。

初対面のとき、宇井は古ぼけた学生服姿で、演劇の「舞台に出てくる中年の俳優さんが学生服を着ているような印象」だったという。宇井の結婚式に招かれ、そのときには写真も撮ったが、本格的な撮影は知りあってから約四半世紀後、「公害原論」の最後の講義だった。

「宇井さんっておとなしくて、タバコ吸ってパチンコをよくやっていたんですよね。パチンコ、うまくてね。僕が喫茶店で待っていると『桑原さん、持ってきたよ』って言ってね、タバコとかをくれるんですよ。パチンコが息抜きになっていたんかなぁ」。桑原は二〇二一年九月、自身の水俣写真展の会場である東京・西麻布のフォト・ギャラリーで、盟友との思い出を懐かしそうに語ってくれた。

第2章

真の技術のあり方を求めて

宇井純が三年間勤務した日本ゼオンで技術者として働き、専務取締役や関連会社の社長などを歴任した佐伯康治（さえきやすはる）も、学生時代からの現代技術史研究会のメンバーだ。九州大学入学から大学院卒業までの六年のあいだに、静岡県焼津市のマグロ漁船「第五福竜丸」が太平洋のビキニ環礁で米国の水爆実験により被曝したり、ソ連と米国があいついで人工衛星の打ち上げに成功したりと、原子力や技術をめぐる歴史的な事件が続いていた。そんな社会情勢を背景に佐伯は、専攻した応用化学の研究と反戦運動に明け暮れた。

当時の日本はといえば、国内の道路建設に関する現技史研の一九五六年九月の例会での報告によると、自動車が通行できるだけの幅のある道は全体の一五パーセントしかなく、舗装道路にいたってはわずか六・四パーセントで、大型化・高速化する自動車の普及に道路整備が追いつかないような、インフラ整備も不十分な状況だった。

こんな時代に佐伯は日本ゼオンに入社し、宇井と知遇を得た。ふたりで酒を飲みながら、経済成長の負の側面としての公害問題についてもよく議論したという。それが、その後のキャリアにも大きく影響した。

高度経済成長の時代に併走するように企業の中枢で仕事を重ねながら、反公害の態度を崩すことはなく、大量生産・大量消費の風潮にも抗いつづけた気骨あふれる技術者である。

九州で現技史研と出会う──佐伯康治

佐伯は一九三三年生まれ。小学六年のとき、疎開先の熊本県で終戦を迎え、翌一九四六年、広島高等師範附属中学校の「特別科学学級」に入学した。特別科学学級は科学者や技術者の英才教育を目的に設置されたコースで、東京高等師範などにも置かれており、全国から選抜された理系のエリートたちが集まっていた。佐伯も、小学校の教師の勧めで受験したのだった。

当時の広島は米国による原爆投下で廃墟となった「何もない」町で、佐伯は学校の寮となっていた銭湯の二階で、約十人の同級生や上級生と暮らすことになる。深刻な食糧難のもとで「いつも腹を空かせていて、昼の弁当も朝飯といっしょに食べてしまうような状況」に加え、「ノミやシラミの毎晩の攻撃にはまいっていました」と、そのころの日常を雑誌『技術と人間』二〇〇二年三月号でふり返っている。

二〇二〇年十月に横浜で初めて会った私にも、「腹が減ってしょうがなくて、生きているのに精一杯でしたからね。ひもじいっていうのは毎日毎晩のことでした」と話している。佐伯がこんな生活を始めた年の五月十九日には、社会党や共産党への支持拡大を背景に、東京の皇居前広場に約二十五万人が集まって食糧危機を訴える「飯米(はんまい)獲得人民大会」、いわゆる食糧メーデーが開催された。参加者のなかには天皇を風刺した「朕はタラフク食ってるぞ　ナンジ人民飢えて死ね　ギョメイギョジ」とのプラカードを掲げ、不敬罪に問われた男性もいた。連合国軍総司令部が、日本の軍国主義化に協力したとみなした財閥の解体を本格的に始めたのもこのころのことである。

佐伯は夏休みに福岡の実家に帰省したが、栄養失調でやせ細っていて、父親も「広島へは、もう戻るな」と言うほどで、そのまま地元の修猷館中学に転入した。学校教育法の施行で旧制中学が高校へと移行した三年生のときには、生徒会長選に立候補。激戦のすえに対立候補を破り、運動会や文化祭自主開催の旗を振るなど、戦後おとずれた自由な時代を謳歌した。

歯科医で薬剤師でもあった父親の影響もあって、高校時代から化学に興味をもち、進学した九州大学では工学部で応用化学を専攻した。雑誌『技術と人間』のインタビューでは、「(広島時代の)空腹感が、何とか物を豊かにする仕事につきたいという希望」につながった、とも話している。大学に入学した一九五二年当時の日本は、敗戦からそれほど時間もたっていない、貧しさが残る時期で、自分が化学を学ぶことで復興になんらかの役割をはたせるかもしれないという期待もあった。

学業以外のことに対する関心を高校時代から持ちつづけ、大学で「福岡学生の集い」を組織するなどして、平和運動に積極的にかかわった。広島・長崎の原爆記念日には「戦争反対」の街頭デモなども行なった。仲間数人でつくった読書会で読んでいたのは、教条主義を批判する毛沢東の『実践論』や『矛盾論』だったという。この二冊は「学生運動をやっていた僕らのバイブルだった」。

学生時代の後半、九州大で「高分子化学」に取り組む教室ができ、佐伯は卒業論文の作成段階から修士課程まで、高分子（ポリマー）の構造が温度によってどう変化していくかを研究した。プラスチックや合成繊維、合成ゴムなどを大量生産するための石油化学が、世界で大きな注目を集めていた時期である。

現代技術史研究会と出会ったのは工学部で研究を続けていたころで、「左翼系の連中五、六人が集まっての読書会」で星野芳郎の著作を読んだことなどがきっかけだった。福岡県大牟田の三井炭鉱を視察した帰途、九州大を訪れた星野を工学部の助手に紹介され、現技史研への入会を決めたのだという。星野の著作には、技術を論じるうえでは、会社と労働者との関係など、社会的・経済的な視点も含めさまざまな側面からの検討が必要だとの指摘があり、「すごく共感をおぼえた。これだっていう感じがあって、星野さんをひじょうに尊敬するようになった」とのちに語っている。

花形となったプラスチック産業

修士課程を終え、ポリ塩化ビニール（ＰＶＣ）を生産していた日本ゼオンに入社したのは一九五八年四月。就職担当の教授に「初めて九州大に求人がきた新しい会社だ。アメリカのグッドリッチ社から技術導入し、資本も三三パーセント入っている」と勧められ、宇井純と同様に「先輩がいないのもいいし、外資系ということにも興味があった。名前も知らない会社だったけど、アメリカから導入した技術を見てみたい」と考え、東京・新橋の本社で面接を受け、採用が決まったのだった。

戦後日本は一九五〇年に始まった朝鮮戦争もひとつのきっかけとして景気が上向きとなり、一九五六年には当時の経済企画庁が経済白書で「もはや『戦後』ではない」と宣言。佐伯が入社した年には、国内のテレビの受信契約数が百万を突破した。石炭から石油へのエネルギーの転換が進み、石油化学を含むさまざまな分野で、米国など海外からの技術導入が図られていた。

大学では「技術とは何か」「本当の技術をやるためには、本当の技術をやれる社会をつくるのが先ではないのか」という根源的な問題について仲間と議論し、なかには技術の追究から離れて政治の世界に身を投じた者もいたという。しかし、佐伯自身は「深刻な危機感と新しい社会の曙への期待とが錯綜しあった私の学生時代にも私はどうしても『技術する』ことからとび出してしまうこと」ができず、「技術者として、好きな技術をやりながらでも新しい社会への道へ作用する生き方があるはずだと私は考え、一番あたり前の道である企業の技術者としての道をえらんだのである」と、入社から三年半後に発行された『技術史研究』第一九号（一九六一年十一月）に書いている。

高度経済成長のとば口に立ち、効率や利益を重視する企業の内部に身をおきながら、人間らしい働き方ができるのか、また、人びとのための技術を実現できるのかという迷いもあったが、こうした「矛盾を身をもって感じ、考え、行動することが『意識した技術者』として生きてゆく一番、妥協のないやり方だと考えたから」就職を決めたと、現技史研でのペンネーム「平木道夫」名で記している。現技史研の会員らが会誌や外部の媒体に寄稿するさい、みずからが所属する組織内で不利益を受けないよう、ペンネームを使うことが多かったのは前述のとおりである。ちなみに、佐伯の筆名は「平和の道を歩きたい」との願いからつけたものだった。

技術への愛着とともに意気揚々と入社したものの、その直後の会合で会社幹部に「アカいやつは帰れ！」と言われ、びくりとしたと佐伯はふり返る。学生時代には反戦運動にもかかわっていたし、「現技史研の存在を知っていて、会員をアカだと思っている人もいた。しかも、会社にはアメリカの資本も入っている」。そうしたことから、現技史研での活動を続けることは半ばあきらめかけていた。

ところが、入社後一か月で静岡県の蒲原工場の研究課に配属となり、独身寮に入ったところ、たまたまもうひとり会員がいて、仲間がいるならと現技史研にとどまることになる。近くにあった関連会社の工場にも会員がおり、「三人で『静岡・蒲原の現技史研』と称し、寮の私の部屋でビールを飲みながら議論したり、星野芳郎さんの本を読んだりしていた」。

九州大時代には平和運動など、勉学や研究のほかにつねにもうひとつの軸を学外に持っていたが、そうした生活は企業の技術者となってからも変わることはなかった。会社員として生活しながら、星野のアレンジで専門誌の座談会に参加したり、『技術史研究』に寄稿したりといった活動を続けていくことになる。

工場では、研究テーマは与えられたものの、これといった指導や制約はなく、「大学院の延長のような気分」で仕事をしていたという。

蒲原工場では労働組合の活動にも積極的に参加、結成十年目を迎えた組合の『労働組合10年史』をまとめたり、退職金の規程に関する組合案の作成に携わるなどした。ほかにも、サッカー部をつくったり、ハワイアンのバンドでウクレレを弾いたりと、「いまでも一日一日の状況を思い出せるほど」の楽しい時間を過ごしたといい、このときの経験が、停年まで日本ゼオンに勤めることになる「原点」となった。

そのころ、新しい素材であるプラスチックに対する需要が急伸する。強靱であることに加え、成形加工が容易であるため、歯ブラシからビールのケース、ポリバケツや洗面器、スーパーマーケットの食品包装容器から家電製品、自動車の内装、高速道路下の雨水を流すパイプなど、人びとの生活のあらゆる場面で使われるようになり、耐久消費財の生産性向上とコスト削減にも寄与した。そのような花形の素材の生産にかかわっているということで、佐伯自身の「おれは技術者だ」という自負心も高まっていった。

「公害は技術のゆがみの最大のもの」

蒲原工場で研究に取り組んでいた佐伯はある日、一本の電話を受けた。ＰＶＣの熱安定性に関する佐伯のレポートを読んだ宇井純が、「宇井という者だけど、面白い報告だった」と連絡してきたのだった。その後、佐伯は一九六〇年、ＰＶＣと合成ゴムの新製品開発などを目的に設立された神奈川県川崎市の中央研究所に転勤。その前年に日本ゼオンを退社して東大に戻っていた宇井と同時期に東京周辺で暮らしはじめ、ふたりは以後、お茶の水界隈などでときどき酒席をともにするようになる。

酒を飲みながらの会話でいずれも現技史研のメンバーであることがわかり、当時、結婚を控えていた佐伯に宇井は、自分がやっていた米国やドイツの化学専門誌の記事翻訳のアルバイトを「生活費の足しに」と回してくれたりもしたという。そのアルバイトをとおして佐伯は、業界誌の編集者らとのつながりをもつようになった。宇井も交えた「編集会議」のような会合で産業界の動向などを議論し、自身の論文や著作を発表する足がかりを得ることにもなる。

宇井とは、水俣の状況や富山県で発生したイタイイタイ病などについてよく話し合ったという。宇井が公害の原因と被害者に関心を寄せていたのは「日本ゼオンで、チッソと同じようなプロセスから水銀を安易に捨てていたことに対する、技術者としては当然の疑問」があったからだと佐伯は言う。「彼は技術者として純粋だったし、それが、弱者である被害者の視点に立って権力と対峙する生き方を決定することになったのではないでしょうか」。

静岡から川崎への転勤で、佐伯の現技史研とのかかわりも本格化した。宇井とのつきあいに加え、現技史研での活動が「（自分自身の）技術者としての生き方を、いい意味で規制しました。体制側に属することを拒否し、弱いほうの味方に立つ思想を植え付けられた気がします」と話している。のちに、二〇〇七年に亡くなった星野芳郎の追悼会で、「（入会から約半世紀のあいだ）星野さんと現技史研の呪縛下にあったような気がしています。何か問題にぶつかるといつも、『現技史研の連中ならどうするだろうか、どう言うだろうか』と考えていたように思います」と発言したことも『技術史研究』第七九号に記録されている。

転勤からまもなく、佐伯は、自動車タイヤなどに使われるポリブタジエンと呼ばれる合成ゴムの国産化に向け、中央研究所から東京・大岡山の東京工業大に約五か月間、「内地留学」する。研究所に戻ってからは米国に出張し、技術導入に向けてプラントを視察するなどしていた。

東京工業大に通っているころに毎日目にしていたのが、川崎上空で朝の時間帯に観測される製鉄所からの茶色の煙が、昼ごろには多摩川を越えて大学の真上まで近づいてくる様子だった。のちに「これが、公害に対する最初の認識だったかもしれない」と話している。

「公害」という言葉がいつごろから広く使われるようになったかは定かではないが、現技史研でも「環境」に注目する会員が出はじめ、リーダーの星野芳郎も、技術について考えるうえで環境保全などの視点が重要であることは明確に意識していたと、佐伯は指摘する。

公害問題については、一九六四年十一月の名古屋での現技史研の合宿で「四日市公害見学」を行なうことが会報で告知されている。石油化学コンビナートからの排煙による大気汚染で呼吸器疾患の患者が急増していた三重県四日市市を訪れ、実際に現場を見たうえで技術者として何ができるのか、何をすべきなのかを議論するのが目的だった。

合宿後の会報では、討論のなかで「公害は技術のゆがみの最大のもの」という発言があったことや、参加者のひとりが、技術者には、①公害をつくり出さない責任、②自分が働く企業が出す公害をなくす責任、つくらない技術を組織的に研究する責任、④被害住民に技術的情報を提供する責任――があると指摘したことなどが報告されている。

合宿には会員の配偶者らも参加し、おたがいに交流した。そのなかのひとりで広告デザインに携わる女性は会報への寄稿で、自分が作成にかかわったある石油会社のパンフレットには公害対策についての記述がなかったことや、みずからの仕事の陰に公害に苦しむ人びとが存在しているなどとは意識していなかったことを挙げ、デザイナーも公害の深刻化に「一役買っていることになる」のではないかとしたうえで、デザイナーも技術者も、ともに公害問題に取り組む必要性を強調している。

ネガティブ・フローシート

佐伯は一九六五年、ポリプタジエンのプラントの操業準備が進む山口県の徳山工場に、生産技術を確立するプロジェクトの責任者として赴任した。一方で、着任後すぐに労働組合の委員長に選出され、年末のボーナス闘争では日本ゼオンで初めてとなるストライキも敢行した。委員長として掲げたスローガンは、「この工場から公害を出さない」。同じ現技史研の会員として宇井と共有した反公害の思想は、徳山工場の技術開発の責任者、また労組委員長としてのベースになり、工場で公害防止に向けた取り組みを進める原動力になった。

当時の徳山工場は、ゴムの乾燥工程から出る臭気が近隣に漂い、毎日のように苦情の電話がきて、周辺住民らが工場に押しかけることもあったという。赴任の翌年に製造課長に昇進していた佐伯が自転車で地区を回ると、「おばさん連中につかまって文句を言われる」ような状況だった。そのころの化学プラントは、排気ガスは大気中に、廃水は下水に放出する構造で設計されており、臭気については背の高い「臭突」から拡散するようにしていたが、それで臭いがなくなるわけではなかった。

工場では事故も少なくはなく、製造課長をしているあいだにストレスからか、二度吐血したという。

臭気に対応するなかで佐伯は、製造工程で生じる廃棄物を外部に捨てるという発想から決別することを決めた。廃水を処理し、再利用するなどして、廃棄物をできるだけ製造工程のなかにとどめ、外に出さないようにするという「クローズド・システム」の導入である。

工場での製造工程を記したフローシートには通常、原料から製品に至るプロセスだけが書かれていたが、佐伯はまず、クローズド・システムという概念のもとで、製造過程のどこから、どんなものが、どれだけ出てくるのかを調べ、それをフローシートに詳細に書き込んで、公害の発生源となりそうなものをチェックする仕組みをつくり上げた。それまでのフローシートは製造過程のマイナス要素ともいえる廃棄物には触れていない「ポジティブ」なものであるのに対し、廃棄物に注目したそれを「ネガティブ・フローシート」と呼ぶことにした。

ネガティブ・フローシートをもとに、たとえば汚染度の高い廃水は、それが生じる部分に廃水処理装置を配して処理し、高温廃水であれば循環して熱を回収することで再利用する。それまでとは逆の発想で組み上げた製造工程は結果的に、徳山工場での環境対策の推進と経費削減の両方につながったという。

みずからの長いキャリアをふり返り、佐伯は徳山での五年間が一番印象に残っているという。その理由を尋ねると「そりゃあ、本社が面白くなかったからじゃないですか」と笑いながら答えてくれたが、三百五十人の現場を束ねつつ、環境に配慮した新たな取り組みも始めたのは大きな成果だった。作業工程の決定などにさいしては上から押しつけることなく従業員同士のミーティングを奨励、そのためのスペースを多く確保するなどした。こうした姿勢が工場内で一定の支持を得ていた。「徳山では八組の仲人をしたんですよ」と語ったときの佐伯は、誇らしげだった。

一九七〇年、佐伯は徳山から、経営管理や新規事業の計画などにあたる本社（東京）の企画部門に移り、現技史研の会合にもふたたび定期的に出席するようになる。大阪・千里での日本万

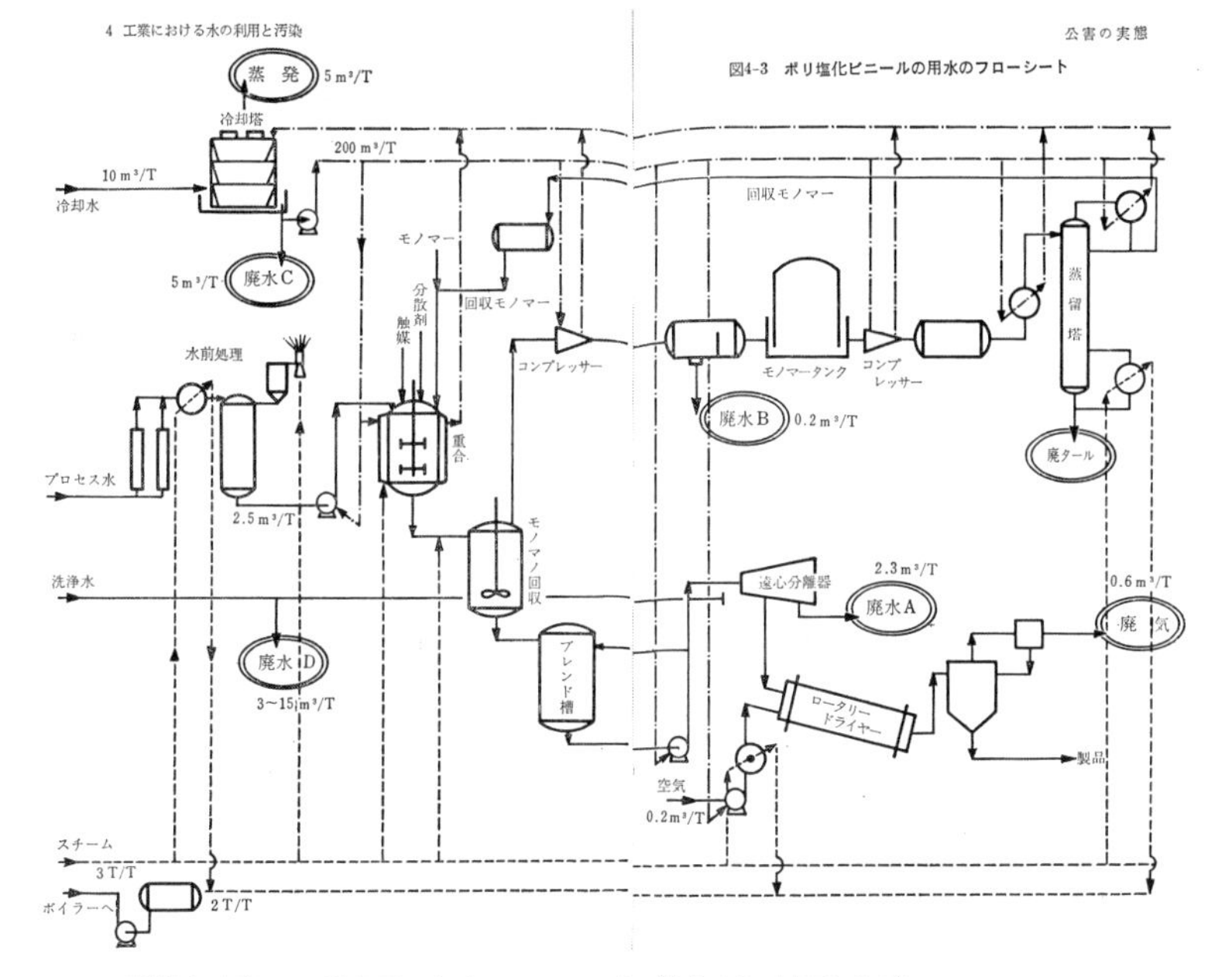

製造と廃棄の工程を図示したフローシート(『公害発生源』より)

国博覧会が多くの来場者を集める一方、東京の光化学スモッグ公害や静岡県・田子の浦港のヘドロ公害が社会問題となっていた時期である。宇井の「公害原論」の自主講座も始まり、一九七一年にはごみ処理問題をめぐり、東京都知事が「ごみ戦争」を宣言する事態となった。

そのころの現技史研は月一回程度の研究会を開催し、環境や廃棄物の問題を議論する場面も少なくなかった。会員有志数人が集まると、おたがいの職場の廃棄物処理について「おまえのところはどうしてる?」と、それぞれのネガティブ・フローシートを出しあって議論を重ねた。その成果は『公害発生源　汚染防止の有効性と限界』(一九七四年、勁草書房)として出版された。

「モノをつくる工程っていうのは完全な秘密事項で、けっして他人に漏らしちゃいけないことなのですが、現技史研では秘密裏に、それについての話し合いをしていたわけです」と佐伯は笑いながら話してくれたが、公害が社会問題となっていた時期に、それを防ぐためには「こんなやり方があるよっていう情報共有を、(他社とのあいだでも)やらなかったらまずいって感覚が、当時の技術者たちのあいだにはあったんでしょうね。製造工程から出る廃棄物をフローシートに書き込もうという考えは、いろいろな職場に広がったはずですよ」とふり返っている。

公害が問題化して以降、廃棄物にどう対処するのかは、企業が生産活動を行なううえでつねに念頭におくべき課題となってくる。「ネガティブ・フローシート」「クローズド・システム」などという名称はべつとして、その考え方自体は環境対策の「先駆け」ともいえるものだった。

一方で、たとえば半導体の製造現場などでは現在、こうした積極的な対応はあまり取り入れられていないのでは、との指摘もある。二〇〇〇年には、有害化学物質の排出量の国への報告を事業者に義務づけ、企業に自主的な排出削減をうながすための「化学物質排出管理法」(PRTR法)が施行されたが、韓国や台湾などのライバル企業との激烈な競争にさらされる日本企業は、この法律の枠内での対応が精いっぱいだというのだ。半導体製造にかかわっていた元技術者は「日本の半導体企業が輝いていた一九八〇年代から九〇年代前半なら、ゆとりもあり、導入できるチャンスはあったかもしれません。現在は、韓国や台湾の技術者も、そこまでは手が回らないと思います」と話している。

徳山赴任まえに、宇井との議論も含め、現技史研をとおして環境問題について関心を深めていたことは、みずからの仕事の進め方を考えるにあたり、佐伯に大きな影響を与えていた。とくに、徳山在任中の一九六八年に政府により公害病と認定された水俣病は「公害の原点として」、工場での公害対策を検討するうえでつねに心にとめていたという。

会社組織の人間として水銀の廃棄にかかわった宇井は、水俣病問題を知ってはじめて自責の念にかられた。「それが水銀公害につながるってことは、当時は宇井純ですらわからなかったってことですよね」と佐伯は言う。技術が人間のコントロールから外れて暴走するとき、人間はそれに気づくこともできない場合があると、佐伯は認識する。

大量生産・大量消費を批判

本社の企画部門への移動について佐伯は、「会社側は（北海道や青森県での）石油コンビナート計画への対応を期待していたのかもしれないが、すでに石油化学製品は飽和状態にあり、自分自身は高度成長そのものが停滞局面に入ったと強く認識していた。経済成長の延長とはべつの事業が必要になるだろうという考えもあって、かならずしもその期待に応えようとはしなかった」と言う。

一九七三年には、第四次中東戦争をきっかけに産油国が生産量を削減し原油価格を引き上げたことで、世界経済全体が混乱に陥った第一次石油危機が起きた。石油依存度の高い日本経済も大きな影響を受け、トイレットペーパーの買い占め騒動も報じられた。

こうした状況下で、佐伯の念頭にあったのは公害対策につながるような仕事で、プラスチック廃棄物の再利用や廃タイヤの処理などの事業化をめざした。「それまでの日本ゼオンとはまったくかかわりがなかった、いろいろな会社とつきあうようになった」。

廃タイヤを熱分解して油化するという計画もあったが、これは日の目を見なかった。一方、廃プラスチックのリサイクルについては、公園やゴルフ場の花壇やぶどう棚などに使う「擬木」として製品化された。みずからのキャリアをふり返った二〇〇二年の『技術と人間』のインタビューでは、擬木は海岸でも水の中でも使える製品で、「京都のあるお寺で池の縁に使っていたのには驚きました。いくら何でもお寺に擬木は似合わないと思うんだけど、腐らないからいいんでしょうね」と語っている。

佐伯はその後、日本ゼオンの専務取締役や合弁会社の社長などを務め、経営者として企業を支えるようになるが、その立場をこえて、大量生産・大量消費に対する疑問と、廃棄物処理をめぐる問題点を社会に訴えつづけてきた。

たとえば、プラスチックの価格が下がると、飲料製品の容器などは、ビール瓶のように回収して再利用するより「使い捨て」のほうが経済的に見合うことになる。こうした現実について佐伯は、一九八三年に出版された『科学文明に未来はあるか』（岩波新書）のなかで作家の野坂昭如と対談し、つぎのように分析している（「ゴミを出す人間と廃棄物を出す産業」）。

大量生産・大量消費という体系ができてしまったことが「ゴミ問題の基本的な原因」であり、プラスチックについても「どんどん生産されるので、どんどん売らなければならなくなった。消費は美徳とか、使い捨て、ワンウェイ時代などということばがさかんに使われるようになり、欲しいから作るのではなく作るから使えとなった……ボールペンでも二、三本をプラスチックで包装して売っていますし、シソの葉っぱでさえも十枚ぐらいを包んでいます。それらのプラスチックは結局は、すぐに捨てられ、ゴミになるわけです」。ゴミを少なくするため長寿命の製品をつくることにも「経済的な面で抵抗があり……寿命が短くてどんどん使われるものの方が企業にとっては得ですし、無駄が多いほどGNPも上がるわけです」。キャッチフレーズに踊らされやすい消費者と、利益最優先の企業の双方に対する批判と読める。

野坂との対談ではエネルギー問題にも触れ、「すぐに代替エネルギーとかいって技術で解決しようとしますが、もうエネルギーはこれくらい使えば十分ではないか。それよりもどう人間的に豊かに生きるかを考えた方がいいですよ。物質が豊かになる技術ばかり発達させないで、人間が豊かになる技術を考えなければ」と語っている。

それから約二十後に出版された自著『物質文明を超えて』(コロナ社、二〇〇一年)では、石油の減少により、使い捨ては経済的ではなくなり、「現在の大量生産、大量消費の社会システムを抑制するように作用する」と指摘。資源的な制約があるなかで経済発展をめざすのであれば、「資源を大切にしながら、いかに生活を豊かにしていくのか、現在とは別の社会システムを構築していくことが必要になる」と強調している。

自動車や家電製品の生産などモノづくりにおいて重要なのは、モデルチェンジで消費者の購買意欲をあおるよりも、長く使えるものを少量つくって資源生産性を高めていくことであり、飲料用の容器などについては耐久性にすぐれたものをつくり「リユース(再使用)」を普及させることだ。そうした信念にもとづき、佐伯自身は停年退職を迎えたさい、お祝いで集まってくれた同僚らに「リサイクルからリユースへ」とプリントした風呂敷を配り、ゴルフのあとに汗で汚れた衣類を持って帰るさいは、ビニールの袋ではなく、これを使ってほしいと話したのだが、使われた様子はほとんどなく「結局、ダメだったね」と笑う。

企業の中枢で経営にも携わった佐伯は、二十世紀後半からの市場原理主義にもとづく経済シ

佐伯康治

ステムも批判してきた。二〇〇八年十月発行の『技術史研究』第七八号では、「企業は『格付け』の脅威や『ヘッジファンド』による企業買収の危険にさらされ、国際競争力の名のもとに、企業内合理化としてリストラ、派遣社員、パート採用、そして長時間残業（サービス残業も）などが無制限でおこなわれるようになり」、それが格差社会の出現にもつながったと指摘。「企業は株主優先（ほとんど投機資本の株主）のもとに短期利益至上主義」に陥り、日本は「まさに資本主義の本質をむきだしにした社会になってしまっている。これは資本主義の断末魔の状況を表すもの」だとして、このままでは本質的な技術の発展の可能性も失われ、企業自体も活力を失っていくことは明白だと先行きを予測した。

日本ゼオンに入社するさいに懸念を感じた企業社会の論理とみずからの理想との「矛盾」が、数十年を経ていっそう拡大しているように佐伯にはみえた。

二〇二〇年の取材の最後に、佐伯はみずから「どんな社会が理想かってことを議論したいですね」と切りだし、こんなことを話してくれた。

理想とする経済システムは、江戸時代の藩の半分にあたるぐらいの地域に地方を分割し、そのなかで地産地消して、お金もその地域内で回すこと。少し高くつくかもしれないけれど、自分のところでできたものを売って、よそからはあまり買わないし、よそにも売らない。そんな仕組みにすると、「みんな穏やかになるんじゃないかなと思いますよ」。

すでに八十七歳になっていた佐伯は、「親父の里は広島県と島根県の境にある農村なんだけど、私がいま六十歳なら、あそこに行って、そういう世界をつくりたいですね。自分たちでつくったものを自分たちで買って、よそからのものはできるだけシャットアウトする。そういう経済活動をすれば地元でお金が回るようになるだろうなと思うんだけど、この歳になってあそこまで行くわけにもいかんしねぇ。結局、世の中、そっちには行きませんね」と、楽しそうに言葉を重ねた。

「地味な勉強を」と入会——井上駿

現代技術史研究会には、宇井純や佐伯康治のような化学分野、また、自主講座「公害原論」をサポートした山路靖雄のような機械工学などにかかわるメンバーが多かったが、農業研究者として会の運営に初期のころから中心的な役割をはたしてきたのが井上駿である。農林水産省の国内各地の農業試験場のほか、タイでも研究を重ねた。国家公務員としての栄達の道を求めることはなかったが、農業そのものには退職後もかかわりつづけた。

井上は佐伯と同じ一九三三年に広島県呉市で生まれた。海軍の技術将校だった父親は戦艦大和の製造にもかかわり、終戦は日本製鉄（当時）のボルネオ製鉄所長として迎えた。戦後は公職追放となり、造船業などの分野で暮らしを立てようとしたが思うようにはいかず、井上ら家族は疎開先の長野県須坂にとどまっていた。

東京での生活のめどが立ったのは一九五一年で、高校三年生になろうとしていた井上は、「まさか試験に受かるとは思わなかった」という東京の名門校、日比谷高校に転入。その後、一年の浪人生活を経て東京大学の理科二類に進学した。第一志望だった理科一類の入学試験に失敗したためである。理科二類から医学部へという道もあったが、「ホルマリン漬けのカエルを解剖して、神経の分布を調べるようなことに嫌気がさし」、農学部に進む。そこで、実際に作物の栽培について研究する農学科に在籍することになった。学科を選ぶさいのガイダンスで、農家に対して真摯に目を向け、現場で問題をとらえる必要性を強調していた川田信一郎助教授（一九一八―一九八四年）が農学科の担当だったことに惹かれたのだという。「川田先生は現場に出かけて研究を進めた方で、私もおおいに影響を受けました」。

大学では平和運動のサークルで活動したり、マグロ漁船「第五福竜丸」の被曝に抗議する集会に参加したりしていた。そんなこともあってか、二年のときに教養学部の学生自治会副委員長に推薦されたが、八歳上の兄から「政治的なことにかかわるのはやめておけ」と反対される。兄は第二次大戦中、徴用を避けるため海軍兵学校に入学し、敗戦後は東京工業大学に移っていた。一時は共産党員だったが内部抗争に巻き込まれて除名された経歴があり、卒業後はパチンコで生活費を稼いでいた時期もあった。その後、大学の恩師の紹介で小西儀助商店（現在のコニシ株式会社）に就職して、合成接着剤「ボンド」の開発に携わった。「技術者としての腕は確かなもの」と信頼していた兄が学生自治会の活動にかかわることに反対したのは、「共産党の内紛という苦い思い出があったからかもしれない」と井上は言う。

その兄から「右も左もわからないのに背伸びをするな。地味な勉強をしたほうがいい」と紹介されたのが、現代技術史研究会の前身、「民主主義科学者協会」技術部会技術史ゼミナールだった。兄と、ゼミナールを指導していた星野芳郎は、東工大でつながりがあったという。

玄人と素人の距離を縮める議論

井上が参加しはじめたのは、まだ個人宅で例会を開いて研究を進めていたころである。参加者らは星野を中心に、「技術者が戦争にはたした役割を検証しながら、技術をめぐる問題点を考えようとしていた」が、井上自身は「（他の会員と）問題意識を共有する力がなく、議論の最中は車座の隅で寝ていました」と笑う。ただ、「星野さんから新しい視点を仕入れよう」という意欲は旺盛で、会には休むことなく出席した。高度経済成長の萌芽期にあたり、「技術」や「理工系」がもてはやされてはいたが、第五福竜丸の被曝に対する関心などもあり、「ちょっと待てよ、本当にそうなの？（技術も）いいところだけじゃないんじゃないの？」という科学技術万能主義に対する疑問も、会員たちとの対話をとおして強まっていった。

例会では二時間ほどまじめに議論したあと、酒を飲みながら「やわらかい話」をすることもあった。それでもいつのまにか、さっきの議論で聞きもらしたんだけど……と、カタい話に戻っていったのだという。

一方で、会則に「会として一定の世界観や技術論をとるものではなく」とあるように、現技史研はあくまで勉強会なのであり、反核などの運動をするなら現技史研としてではなく、各自の責任でやるというのが基本的なスタンスだった、と井上はふり返る。あれこれの議論のさいに、個々の会員の政治的な立場を意識することはなかった。自分の責任で他の団体に入り活動するのは自由だが、「(現技史研が) 会として行動したり、声明を出したり、デモに行ったりということはいっさいしなかった」。それぞれの会員がみずからの専門知識や技能を社会に還元していく。それが現在に至るまで、この集団の一貫した方針となっている。

政治的な立場だけでなく、それぞれの会員の所属や肩書すら、ほとんどのメンバーは気にしていなかった。例会で発表の内容が面白ければ「参加者はどんどん乗って議論についていくし、つまらなければ寝ているし、って感じでしたね」。

おたがいのバックグラウンドを問うこともなく、それぞれが自分の分野の専門家として、他人の領域の仕事や技術について鋭い質問を投げかけあう。そういう場面を、井上は新鮮なものと感じていた。「ど素人の質問をするのがまったく平気な場なんですよ。こんなことを聞いちゃ恥ずかしいなんて思うことはぜんぜんなくて、逆に、ど素人の質問っていうのは、じつはプロにとってけっこう恐い。玄人と素人のあいだの距離がだんだん縮まるっていうんですかね。百パーセント、とまではいかなくても、玄人が言ったことを素人がもう一歩踏み込んで理解できるっていうのが、現技史研の議論の特徴であり、いいところだったと思います」。

井上自身は農学を学んでいたが、「工業分野ではこんなことが起きているんだっていう話は、

幾何学理論が工業に応用された高速道路の曲線

聴いているだけで面白かった」。たとえば「高速道路がクローバーの葉のような形に縦横に交わる、いまではどこに行っても見られるような構造の図」も、高速道路網がどのように発展していくのかという議論を伝える現技史研の会報に掲載されたイラストで初めて目にしたという。

議論の最中は寝ていたという井上は、星野から会計係を任され、事務局として会報の編集や発送も担当するようになるなど、「現技史研との縁は切り離しがたいもの」となっていった。

まもなく、井上は会誌『技術史研究』にも寄稿を始め、第五号（一九五五年八月）には「アメリカ農業機械化のあけぼの」と題する論稿が十ページにわたり掲載された。米国農業における機械化の第一期とされる一八三〇年から三十年間の、脱穀機やコンバインなどの発展、導入の過程をたどった研究成果で、「南部では、広大な土地を必要なだけ耕し、地力が落ちれば捨ててかえりみず、また非常に安い奴隷労働に頼るような農業が行われたので北部に比較すると、あまり機械化を発展させなかった」との分析などを紹介している。

執筆から六十五年以上を経て、井上はこの論稿について「とくに問題意識が鮮明だったわけではなく、星野さんに勧められた本を勉強した結果を発表したものです。何を書いたのか、いまは覚えていませんね」とふり返ったが、現代技術史研究会については「(自分にとっては)ほとんど大学みたいなものです。大学ではろくに勉強していなくて、現技史研で学んだことが一番身についていますね」と話した。

農業試験場の実態を告発

当時、東大農学部の卒業生の半分は国家公務員となり、そのほとんどが農林水産省に職を得ていたというが、井上もその例に漏れず、一九五七年の卒業とともに入省し、最初は横浜植物防疫所に配属となった。終戦からまだ十年あまりで、米の増産が大きな課題となっていた時期だった。「公務員試験に受かったあとも希望する専門分野はとくになくて、どこに行ってもやりがいのある仕事はあるだろうと、のんびり構えていました」。

役所でキャリアを重ねるあいだも、現技史研とのかかわりはさまざまなかたちで続いた。

日米安全保障条約が改定された一九六〇年には、井上も国会前での反対行動などにたびたび参加していたが、デモや座り込みをめぐり、農水省の労働組合である全農林内部でささやかな

タイ・シンブリー県の農家を訪ねての研究（1979年）

意見対立があったことなどを会誌『技術史研究』第一五号（同年九月）の「職場通信」欄で紹介し、当時の職場の様子を描写している。

報告によると、反対行動に積極的に参加するなど「進歩的」とされる人たちは、そうでない人たちに「あいつは頑固な反動だ」とレッテルを貼っていたが、井上からみれば「反動派」はけっして不愉快な同僚ではなく、むしろ「進歩派」の自信に満ちた態度のほうが、ときとして押しつけがましく感じられたという。「反動派」も岸信介首相の安保政策を支持しているわけではなく、「進歩派」の押しつけがましさや自信のありすぎる態度にがまんがならず、「これと共に、行動することを潔しとしない」のだと井上は思った。安保闘争に敗れたのは「私達の、ほんとに身近なところにある弱さのため」だという気がしてしかたがないと、井上は嘆息している。

横浜での勤務のあとは、東京・北区にあった農業技術研究所土地利用部に異動。農業を営む家庭はタンパク質の摂取量が少なく、逆に塩分はとりすぎている、などと指摘されていたころで、井上は群馬県の農家に泊まり込んでその食生活を調査するなどした。

その後、埼玉県鴻巣(こうのす)市にある農業技術研究所鴻巣分室に移り、稲作において必要な水量が天候によりどれだけ違うかなどの研究に、十六年半にわたり取り組んだ。

鴻巣時代に書いた『技術史研究』第三五号の職場通信(一九六六年十月発行)では、確固たる理由も戦略もないままに研究テーマが決められ、それに疑問を投げかける若手職員が不遇な立場に追いやられることもある官庁の研究機関の実態を、みずからの体験をもとに「北沢朗」というペンネームで暴露した。

『技術史研究』のバックナンバーを眺めていると、井上の実名に加え、この北沢名もたびたび登場していることがわかる。一九六六年十二月発行の第三六号では「ある官庁試験場の実態」と題し、農水省の一試験場での幹部によるハラスメントを明らかにしているが、取材に対し井上は、そのころの心境を「組合の役員を務めたりして当局ににらまれていたため、ペンネームにしたほうが無難という判断はあったし、本名で書く勇気はなかったですね」と吐露した。

職場の親しい同僚からは「なぜ本名で書かないのか」と言われたこともあったが、現技史研の会員の多くが企業や官庁の現役の技術者で、井上のように、みずからの職場の実情を例にあげて技術者をとりまく問題を訴える場合もあり、「ペンネームで書くのは、私たちのあいだでは普通のことだった」という。日本ゼオンの佐伯康治も、会誌に寄稿するさいなどには「平木道夫」のペンネームを使っていた。

その後、井上は一九七九年から三年半、日本とタイとの農業に関する共同研究プロジェクトに参加するため、長期出張というかたちでタイに単身赴任し、同国の乾季に灌漑水が利用できる水田で何を栽培するのが最適かなどについて研究を進めた。首都バンコクを起点に、百数十キロ離れた試験地などを二、三日ごとに移動する生活で、交通事故も二度起こしたという。稲を刈ったあとの乾季の田んぼにもやし用の豆の種をまき、稲作のあとに土に残った水分の利用で成果を上げたこともあった。

井上駿

帰国後は、北海道、東北、四国の農業試験場などを渡り歩き、北海道では砂糖の原料になるテンサイ（別名・砂糖大根）などの栽培の研究に従事し、東北では各県の担当者とともに冷害の対応にあたった。四国では研究部長を務め、一九九三年に農水省を退職。その後は五年間、全農で環境問題に関する研究プロジェクトに参加し、九九年からは自宅に技術士事務所「井上農研」を開設した。一方で、特定非営利活動法人（NPO法人）「有機農業推進協会」設立に参加し、副理事長兼事務局長を務めるなど、農業の現場とのつながりをもちつづけた。

「（農水省に入った）同級生のなかで、自分は一番出世しなかったうちのひとりだと思うけど、たとえば稲の栽培に、いつ、どれくらいの水が必要なのかっていう課題にも結論らしいものが出せたし、やりたいことはやれたかなと思いますね。研究者個人としては満足しています」と、なじみのベトナム料理屋で酒を飲みながら話してくれたこともある。

その後は、住まいのあるさいたま市で、見沼たんぼと呼ばれる水田地帯に注目し、農業を安定的・継続的に発展させるための調査や提言を行なうなど、地元の農家との共同作業を続けている。

官僚機構の一員でありながら井上は、自分と農水省という組織、自分と労働組合とは対等の立場にあると考え、所属する組織に個人が従属するような関係性に反発していたが、現技史研に行けば「自分と同じようなスタイルで生きている人間がいた。彼らが僕の職場に来て何かをしてくれるわけじゃないけど、似たような生き方をしている人間が他にもいるんだってことが自分の支えになっていたことは間違いない」。現技史研は「個の確立」について仲間と意思を共有できる場であり、「ときには愚痴を聞いてもらえる場」でもあった。

星野芳郎が二〇〇七年十一月に八十五歳で亡くなり、その約一年後に発刊された『技術史研究』第七八号の追悼特集に、井上はこう記している。「現代技術史研究会は生涯を通じて私の大学であった。しかも、居心地のいい大学であった。それは、何よりも星野先生の包容力に依っていた。それがあったから安心して議論できる仲間たちがいた。ただ受け入れるだけの包容力ではない。方向を求めさせる包容力であった。異論を退けずに、異論と対等の立場で渡り合う包容力であった」。

『日本の技術者』刊行

農林水産省の井上駿が官庁研究所の農業研究者としてみずからの仕事の方向性について模索していたころ、星野芳郎が編者となった『日本の技術者——合理化と近代化の嵐に抗して』が勁草書房から出版された。一九六九年十二月のことである。

企業や官公庁だけでなく、工業高校や大学工学部などの現場で、人びとに奉仕する技術とは

『日本の技術者——合理化と近代化の嵐に抗して』勁草書房（1969年）

何かを考えてきた技術者や教師、研究者らが集まり、討論を重ねたうえで発表されたこの本は、当時、技術者をめざす若者らに大きな影響を与えたといわれている。自分のかかわる技術が水俣病や四日市ぜんそくのような公害病の発生につながりはしないか、技術の発展によって働く仲間が不当に配置転換されたり解雇されたりはしないか、技術は人びとの幸福に本当に寄与するのか、などと不安を感じていた学生たちに、技術者としての生き方の指針を示したからである。

星野は「まえがき」で、真に人間的な技術をつくりあげようとし、真に創造的な技術をわがものにしようとする技術者であっても、資金力と組織力を有する企業や政府、大学などの「権力機構」に取り込まれることにならざるをえない、との認識を示した。さらに、鉱山や炭鉱での地下労働が「野蛮」であっても、技術者はその地下労働を否定することはできないし、工場から出る汚水や煤煙が都市や農村の住環境や住民の健康をむしばんでも、技術者はその工場を離れては仕事ができない現実を挙げたうえで、「技術者たちのおかれている状況を、もっと赤裸々に追究し、技術者たちのつきあげる主張を語り……技術者のたたかう方向を見さだめようと」、さまざまな現場での体験を持ち寄り、議論することをとおしてこの本ができあがったと紹介した。

井上もその議論に参加していた。本のなかではペンネームの北沢朗として、官公庁の研究機関に蔓延する官僚主義や縄張り主義を告発。農業試験場での研究を例に挙げながら、農民の疑問や要求をくみとり、それにいかに応えていくべきかを検討し、農業技術者が生産者と連携しながら、生産現場の構造と問題を把握し研究を進めることで、学問は「生きたもの」になりえるとの道筋を示した。

山路靖雄

宇井純の自主講座を支えた山路靖雄も、みずからのキャリアをふり返るかたちで「中小企業の技術者の苦悩」を河野治郎のペンネームで執筆。大企業が系列再編などにより、その地位の盤石化を図る一方、独自の技術を持ちえなかった中小企業は下請けに甘んじることになるとの現実を明らかにした。そういう状況下でも、中小企業の技術者が技術者として生き抜きたいと願うのであれば、人間をたんなる部品のように扱ったり、自然の循環を乱したりすることのない技術の実現に向けて「企業の生産現場でどこまでも自己の考えを追求してゆく以外に道はない」との決意を述べている。

星野はまえがきで現代技術史研究会の存在にはいっさい触れていないが、この点について井上は、「現技史研は秘密結社的な色合いが強く、企業の技術者としてそのような会に入っていること自体が反社会的とみなされる恐れもあったため、会の存在自体を積極的にアピールすることははばかられるという雰囲気だった。信頼できる仲間たちだけが知っていればいいという感じだった」と話している。

この本の第十章は「技術者の一つの典型――宇井純論」である。宇井の生い立ち、会社員や研究者としての経歴、水俣病問題への取り組みから「人間像」までを詳述し、最後は「第二、第三の宇井が出てくることを!」と締めくくって、宇井に倣うような生き方、働き方を求めている。これについて宇井自身はのちに『技術史研究』で「この本が用意されたのは私の欧州留学中だったから、本人の了承も何もあったものではない」と少々、困惑気味に言及しているが、この章の筆者は「日本の大企業を相手に回して」被害者の側に立って行動してきた宇井を乗り越えるような人間が「次々と出現してこそ、彼の存在意義がある」とみなし、それが現技史研の存在意義にもつながっていくと考えていたのだった。

井上や山路とともにこの本の出版に深くかかわったのが、学生時代から現技史研の会員で、東大工学部の大学院博士課程を修了後に、当時は大阪大学で助手をしていた井野博満(いのひろみつ)である。研究と教育の現場に身をおきながら井野は、技術の現場で進む合理化に技術者自身がはたしている役割に厳しい目を向けるとともに、薬害被害者や冤罪事件の支援にもかかわり、社会ときり結んでいく。

医学から逃げて、金属材料の道へ——井野博満

井野博満は一九三八年、東京で生まれた。井上や佐伯の五つ下である。

父親は医師。子どものころから「医者になれ」と言われていたが、夜中に起こされて診療に向かう父親の姿に、「親父の重労働を見ていると、とても大変そうで」、その気にはなれずにいた。「(いまとなっては)ちょっと浅はかな考えだとは思うけど、親父が一人ひとりの患者さんに対応していることの重要性もわからずに、たとえば物理学の原理原則のような普遍的な価値のあるものを研究したいと考えていました」。

数学や物理、科学といった理系の科目が好きで、都立戸山高校では「数学班」というサークルで活動していた。

医学部進学をめぐりぶつかりあっていた父親も、高校三年になると「一回で東大に入るなら、おまえはそれでいい」と折れ、井野は理科一類に進学する。しかし、大学の講義に興味が高まることはなく、サークル活動や学生運動に身を入れることもなかった。そこで、高校時代の友人たちと勉強会を始め、西欧の科学思想について学ぼうと、数学班の顧問だった恩師の指導を受けながらガリレオやデカルト、エンゲルスなどの著作の輪読に精を出すなどしていた。

その後、星野芳郎の講演会に参加したことがきっかけで、大学三年だった一九五八年に現代技術史研究会に入会する。

講演をとおして「技術者というのは社会的に大事であるが、まともに生き抜くのは難しい存在なのだということをはじめて認識した。もともと理学部志向（物理か天文か地球物理）でいろいろ迷っていた私が工学部への進学を決める大きな動機になった」と井野は、二〇〇四年六月に発行された『技術史研究』第七四号の「技術者の生きてきた道」という自分史の特集に記している。この号には宇井純や佐伯康治、井上駿も、それぞれの来し方を寄稿している。

戦後の混沌とした時代状況を背景に政治問題にも関心を深め、東大工学部では自治会の委員長になった。井野自身は「ノンセクトの一般学生」だったが、当時の工学部の学生の多くは学生運動や政治問題に関心が薄く、「ほかになり手がいなくて、やむをえず」引き受けたのだという。戸山高校時代には、政治的な活動をしていた教員も少なくはなく、委員長就任にはその影響もあったのかもしれない。教員の政治活動を制限する「教育二法」に反対するデモなどには大学入学当初から参加していた。また、東大の学内では、教授らの軍事研究への関与が明らかになり、工学部自治会が「軍研反対闘争」を主導する立場におかれていた。

日米安全保障条約の改定に反対する学生らが国会内に入った、一九五九年十一月の「安保阻止第八次統一行動」の現場には井野もいた。約半年後には国会に突入した全学連主流派と警官隊が衝突、東大の女子学生が死亡する事件も起きた。

その年、井野は大学院に進学、日本と韓国の国交正常化を規定した「日韓基本条約」の反対闘争などにもかかわりながら、研究者の道を歩みはじめる。「大学の先輩や現技史研の会員から会社の話を聞いたり、工場見学に行ったりもしたけど、やっぱり会社組織は自分には向かないという気になりました。企業では生産が第一で、こういうものをつくれという目標が与えられる。よそから目標を与えられるのは嫌だな、と」。

大学院で研究したのは、鉄鋼の内部摩擦についてだった。一九六五年には、大阪大学基礎工学部材料工学科の助手となり、金属や合金の微細構造を研究する。

「合理化の担い手」となる技術者

そのころの現技史研の活動は、水俣で現地調査を続けていた宇井純を中心とする「災害分科会」と、技術者の労働実態の分析を進める「日本の技術者分科会」が車の両輪となっていて、井野自身は後者での議論に加わり、それが『日本の技術者』の刊行として結実することになる。

そこでの議論のポイントは「根本的に技術者と社会との関係をどう把握するかということ」にあり、「企業の技術者が合理化と近代化の進行のなかで、技術をまっとうに人間的に遂行できないことをどう見るかという問題であった」と、井野は『技術史研究』の自分史特集で書いている。「技術者という存在自体が労働者に非人間的労働を強い、労働災害や公害を生み出す役割を必然的に担わざるを得ない側面を持つ」という、いわば「技術者の自己否定」の論理が分科会では共有されていたのだという。

資本主義社会においては、できるかぎり経費を削減し、最大の利潤を得るようシステムをつくり変える「合理化」が進められる。生産現場では分業が進み、人間の労働は大型機械に置き換わり、労働者の働きやすさや、労働が創造的かどうかなどといった要素はときとして従属的なものとなって、人間から労働の意味すら奪ってしまう。「知的労働者」としての技術者は期せずして、そういう状況に手を貸し、現場で働く人びとの監督者、「合理化の担い手」となってきたのではないか。

「技術の進歩や合理化自体は歓迎すべきことであり、労働者を圧迫するような使い方をするのが悪いのであって、技術者には責任はない。技術者は、どの技術に経済性があるかを答えるだけだ」という考えもあるだろう。しかし井野は『日本の技術者』の第十一章「本質論・運動論」で、技術の経済性を論ずる場合には「生産過程において労働者がどのような労働に従事するかが（技術者の）頭に描かれているはず」であり、「経済性があると自分で答えた技術は労働強化をもたらすものかどうか、労働災害を起こす心配はないかどうか、技術者は知っているはずであり、知ることが義務である」と書き、現場の労働環境の整備における技術者の責任を強調した。

さらに、経済性を最優先し、安全対策や環境への配慮をないがしろにしてきたことで、炭鉱事故や水俣病などにみられる労働災害や公害が一九六〇年代に入って増加、顕在化してきたのは、「剰余価値の生産を民衆の犠牲において行なうという点において、国家政策として展開された合理化の直接的結果である」として、企業の利益のために合理化に協力してきた技術者を「自らの人間性・技術的良心を失ってしまったと言える」と批判した。

そのうえで、技術者は「自分の技術実践を通じて、合理化に寄与せざるを」得ず、「資本の論理にもとづく技術体系のもとで一〇〇%仕事をしなければならない宿命にある」という、いわば矛盾を抱えた存在であるが、「人間労働の疎外をなくす努力」をし、「一〇%でも二〇%でも、自己の主張や思想を実践に盛り込んでゆく」努力をする必要があるのだと、現場の技術者や、これから技術者になろうとする学生らに呼びかけた。

一九五〇年代、「技術史ゼミナール」に集まった学生たちを、ミイラ取りがミイラになるようなことにならないのであれば、軍需工場で兵器をつくりながらでも平和運動をするべきだと鼓舞した星野芳郎に通じるメッセージである。

本の出版に向け、井野らが現技史研で議論を重ねていた日本の一九六〇年代は、戦後の高度経済成長下で池田勇人首相の率いる内閣が「国民所得倍増計画」を打ちだし、経済最優先の政策により、十年間の平均実質成長率が一〇パーセントを超えた時代である。一方で、新潟水俣病、水俣病、イタイイタイ病、四日市ぜんそくの被害者らが責任企業などに損害賠償を求めて提訴し、いわゆる四大公害病が注目を集めたのも六〇年代のことだ。

技術の光と影が、現場の技術者にも学生にもはっきりとしたかたちで見えるようになっていた六〇年代の最後に『日本の技術者』が出版されたのは、まさに時宜を得たものといえた。

「技術者の権利宣言」をめぐって

井野が大学院で研究を続けていた一九六一年には、星野芳郎が『技術史研究』第一八号で発表した「科学者・技術者の権利宣言」が大きな議論となっていた。星野は、科学者や技術者は「民主主義社会の物質的基盤」をつくっている存在であり、その仕事をとおして人びとの「労働と生活の向上」と「民主主義社会の実現」をめざす権利があるのだと主張していた。

「技術者の権利宣言」について、星野は同年七月の現技史研の例会でも提起している。翌月に発行された会報・第五七号によると、この提起に対し例会では、自分たちの主張が「成文化された」と歓迎する声があがった一方で、宣言の「具体的な適用方法」について理解できないとするもの、あるいは、市民の基本的人権に付加される「科学者・技術者に固有の権利」とは何かがはっきりしないと疑問を呈するものなど、さまざまな意見が出たという。

宣言をめぐる議論は九月発行の会報の紙上でも続き、そもそも科学者と技術者は同一に論じられる存在なのか、それぞれの利害はかならずしも同じではないのではないか、などの意見が会員から寄せられたことが紹介されている。

星野の「権利宣言」に対して厳しい反論を展開したのは、井野ら大学院生のグループだった。

『技術史研究』第一九号に掲載された反対論の主張はつぎのようなものだった。

――生産活動において労働を「技術的な部分」と「単純労働が主要な部分」とにはっきり分離し、利潤を高めようとするのは資本主義に固有のことで、この分離が「技術者層」を生みだしたが、そもそも技術的労働と単純労働との分離は人間の労働形態として矛盾をはらんでおり、なくさなければならないものである。仮に「技術者の権利」というものがあるとすれば、この分離をなくしてすべての人が技術的労働を行なう権利であり、この分離をなくすことは「技術者」という階層をなくすことでもある。

「『技術を発展させる技術者の権利』とは実は、『技術者』を消滅させる権利ということ」になり、自分の存在の消滅につながるようなものが、その者にとっての固有の権利といえるのだろうか、と井野らは問いかけたのだった。

当時の議論について、井野は二〇一六年十一月発刊の『技術史研究』第八四号で、「(この反論は)労働が肉体労働と精神労働に分化するなかで、技術者は必然的に資本の側にまわり、労働現場での先兵となって労働者に敵対する存在になるという主張を基軸にしています。これは明治期以降、戦後のこの時期まで一貫していた工員と社員の区分・分割に象徴される現実などを認識してのことでもありました」と説明し、「科学や技術のあり方をそれ自体として批判するとともに、その担い手である科学者や技術者の社会的地位や役割を批判しなければ、科学や技術の存在形態に対するトータルな批判はできない」というのが自分たちの主張だった、とふり返っている。

『日本の技術者』では、技術者を「知的労働者として、資本により搾取され疎外されながら、同時に、資本の名において一般労働者にたいし、搾取と疎外の代行人の役割をはたしている」二律背反した存在と位置づけたが、そうした矛盾を認識することなしに権利を宣言することはありえないとの立場だった。

井野博満

厳しい言葉で「権利宣言」を批判した井野だったが、星野とのあいだで感情的な対立はいっさいなかったという。「星野さんは人の意見をよく聞く人で、その意味で、現技史研のような組織のオーガナイザーとしてはひじょうに優秀な人でした」。

結局、「技術者の権利宣言」は今日に至るまで出ていない。

一九六四年には、技術者をめぐるさらなる議論が噴出する。科学技術の進歩に遅れまいともがきつつも巨大な組織のなかでは一歯車となってしまい、そこに安住してしまうような技術者を「生ける屍・スクラップ」と批判する、ある会員の論稿が一月の会報に掲載され、数号にわたって激しい議論が交わされた。その後の会報では『全員総立ち』的な熱気を呈した」と記されている。

翌月の号には、人類の進歩の一翼を担う科学者・技術者として、最先端の知識を消化吸収することは必要だが、そうした「強迫観念のもとに」生活し、仕事をするようになれば、「資本のペースにまき込まれ最先端にいるときは、いかにもチヤホヤされるが、一歩おくれれば、ボロの如くすて去られ、かえりみられなくなる」とし、最先端にいなければ生ける屍だとの論調は、ごく一部の優秀な人材だけを優遇し、他は安く使おうという態度を是認することになる、との反論が掲載されている。

さらに次の号には、「生ける屍・スクラップ」との指摘は「理解できる」し「重要な問題が含まれている」とする投稿も掲載された。必要なのは「屍になり下がらないための」個々の努力を現技史研が体系的に集約化し、受け入れることではないかとの主張だ。

その後の会報でも議論は続き、非凡ではなくとも多くの人と悩みを共有し、なにがしかの力を得ていく場が現技史研ではないか、といった意見や、「ゆがめられた技術を正してゆくこと」が技術者や現技史研の役割、目標であり、それを成しとげる能力をもつために努力することの厳しさを指摘した点で「生ける屍」論は評価される、との声もあった。

鑑定書の欠陥を統計で暴く

井野は大阪大の助手時代に、妊婦の睡眠剤などの服用で赤ちゃんに深刻な被害をもたらしたサリドマイド事件の被害者支援にかかわるようになり、一九七二年に東大の生産技術研究所に移ってからは、整腸剤キノホルムが神経障害を起こしたスモン薬害や、腎臓病の治療薬として販売されたクロロキン製剤で視力障害などが起きたクロロキン薬害の被害者らともつきあうようになっていた。被害者らと厚生省（当時）での交渉に出かけ、その対応に立腹して東京・霞が関の庁舎内に徹夜で座り込み、そこから大学に出勤したこともあったという。宇井純が水俣病問題でみせたのと同様の行動だった。

井野はまた、埼玉県狭山市で一九六三年五月に下校途中の女子高生が行方不明となり、身代金を要求する脅迫状が自宅に届いたあとに遺体で発見された「狭山事件」で、逮捕・起訴された石川一雄（いしかわかずお）の裁判にも鑑定人としてかかわることになる。

石川は一審の浦和地裁（現さいたま地裁）で死刑判決を受けたのち、東京高裁での控訴審では無罪を主張。犯人が身代金を受けとりに現れたさいに残したとされる足跡が、石川宅から押収された地下足袋によって付けられたものかどうかが争点のひとつとなっていた。弁護団は、押収物と現場の足跡にはつながりがないことを科学的に証明してくれる人間を求めていたが、被告の石川が被差別部落の出身であることなどから刑事裁判は政治的な様相も帯びていて、鑑定人を見つけることができずにいた。そんななか、井野を探しあてたのは、弁護団のメンバー、藤田一良（一九二九―二〇一三）である。四国電力伊方原発一号機の設置許可取り消し訴訟で住民側弁護団長も務めていた藤田は、裁判を支援していた大阪大理学部の関係者から「東大に移ったばかりの井野なら暇だろう」と推薦を受けたのだった。「私が理系の人間であったということと、人の縁もあって引き受けることになりました。金属物理という自分の専門とは関係ないものだったけど、足跡の専門家なんて警察と泥棒以外にいるわけはないし」と井野は回想する。

鑑定にさいし、井野は押収物と同じ九文七分のものも含め、四種類の大きさの地下足袋を用意。事件現場の条件に近づけるため、狭山の畑地に事件当時の降水量に合わせて水をまくなどしたうえで、歩いたり、立ちどまって踏み込んだりして足跡を採取し、先端からかかとなど数か所の長さを測定した。

その結果、現場の足跡が九文七分のサイズの地下足袋で付けられたことは九九パーセントの確かさで否定される、言いかえると、九文七分の地下足袋と現場の足跡が一致する確率は一パーセントにも満たない。一方、用意したなかの十文三分の地下足袋は「現場足跡との一致を否定できない」、つまり、十文三分の地下足袋の足跡と現場のそれとがちがっていると言うことはできない、との結論に達した。ようするに、現場の足跡は、石川宅から押収された九文七分の地下足袋ではなく、十文三分のもので付けられたことが強く推認されると鑑定したのである。

　こうした鑑定結果にもかかわらず、東京高裁は一九七四年、一審の死刑判決から無期懲役に減刑したものの有罪判決は維持した。

　井野は雑誌『技術と人間』の一九七六年六月号に「狭山事件における捜査科学と法廷科学」を寄稿。地下足袋の足跡は「石川氏有罪の一つの有力な証拠とされたけれども、それが何ら証拠になり得ないものであることが示されたわけである」とし、有罪判決が示すように「〝現場足跡〟が本当に犯人のものであることに疑いがないならば、この鑑定結果は真犯人が別に存在することを意味すると考えられ、石川一雄氏の無罪を積極的に示す証拠になっていると思うのである」と書いたが、最高裁は七七年、石川の上告を棄却、石川は服役することになった。

　石川の刑が確定したあとの集会で井野は、「（最高裁は）鑑定書を真面目にちゃんと読んでいないか、理解してないか、読んでもごまかしたか、それ以外には考えられないわけです。そういうわけで、非常に決定の内容というのに対しては不当そのものであると私は思います」（『東京部落解放研究』第二一号）と、厳しい言葉で決定を批判している。

　石川は一九九四年に仮釈放となったが、その後も無罪判決を求めて再審請求を続けた。

　高校時代の教員らの影響もあって社会的な問題に関心を深め、「自分がいる現場で闘う」との方針を掲げた現代技術史研究会で活動してきた井野にとって、薬害や冤罪の被害者らに寄り添うことは、当然ともいえる行動だったのかもしれない。

金属材料学の専門家として井野は、原子力発電所の圧力容器の鋼が中性子照射によってもろくなる問題を研究、東海第二原発の運転差し止め訴訟などで原発の安全性に警鐘を鳴らしてきた。福島第一原発事故の発生後は、その原因の究明で発言や執筆を続け、高浜原発一、二号機や美浜原発三号機に対する四十年超の運転延長認可の取り消しを求める訴訟にもかかわった。東大工学部や法政大学工学部の教授を務めつつ、佐伯康治や井上駿らとともに、現技史研では主導的役割を担っていく。

第3章

技術を生かし、社会を支える

井野博満がサリドマイド事件の被害者支援を続けるなかで知りあったのが、当時は東京工業大学の学生で、「森永ヒ素ミルク事件」の被害者を支援していた松原弘（まつばらひろし）である。この事件は、森永乳業の徳島工場で一九五五年に製造した粉ミルクに大量のヒ素が混入、西日本を中心に一万三千人超の死者・発症者を出した、戦後最大といわれる食品中毒だ。井野に「おいでよ」と誘われ、松原は現代技術史研究会の例会などに参加するようになる。

戦後生まれの松原はそのころ、公害問題からみえてきた技術者という仕事の「加害者性」を強烈に意識し、自分がそちらの側に進むべきなのかどうか迷っていたが、現技史研に参加したことで、企業内部からの変革の実現をめざすことを決意する。

井野や佐伯康治、井上駿らは現技史研発足のころからその活動を支え、あるべき技術の方向性を模索してきたが、一九七〇年代以降、会の運営を担っていくのは、松原などつぎの世代の会員たちだった。職場や家庭でのコンピューターの普及や原子力発電所などでの大規模事故の続発、再生可能エネルギーへの期待の高まりという時代状況のなかで、技術者以外の市民とも連携しながら新たな取り組みを始めていく。

会員のあいだからはみずからの知識と専門性をもとに、コンピューターによる人間疎外や合理化の進展、社会の管理強化に警鐘を鳴らす一方、アジアの開発途上国での技術支援をとおして、日本など先進工業国が抱える問題に目を向けようとする動きも生まれてきた。

「ラジオ少年」から技術者に——松原弘

松原弘は一九五一年、機械技術者だった父親が勤めていた会社の社宅があった東京・調布で生まれた。父親といっしょに秋葉原に出かけ、電子部品や工具を買ってもらうのが楽しみな「ラジオ少年」だった。

当時の秋葉原は「新宿に残っていたガード下、焼け跡に雰囲気が似ていて、電気屋さん、部品屋さんもたくさんあった」のだという。「いまでも部品がいっぱい並んでいるのを見ると、心が躍りますね」。星野芳郎や学生たちが、技術や技術者の将来像について語りあっていたころのことだ。

小学生時代のこんな思い出が、エレクトロニクス関連の技術者としての道を歩むきっかけになったと、松原はそれから約六十年後に語っている。「あのころは、世の中が科学技術を大切なものだととらえていて、科学技術の推進がもたらすものに期待と希望を抱いていた」。戦後復興に技術の力が必要だったことに加え、民主主義の理想のもとで、客観的で合理的な科学技術を尊重するという意識が人びとに共有されていた。「そういう流れのなかに、子どもだった私の趣味もあったのだと思います」。愛読していたのは、科学関連のニュースや話題を子ども向けに解説したり、工作用の図面を掲載したりしていた月刊誌『子供の科学』だった。

中学・高校では名作といわれる文学作品を片っぱしから読みあさり、友人たちと冒頭部分を書きだして作品名を当てるゲームにも興じていたが、数学など理科系の科目が好きだったことや父親の勧めもあり、一九七一年に東京工業大学に進学し、電子工学の勉強を始める。

入学当初は「これをやっていれば食いっぱぐれることはないだろうし、ラジオ少年だったころのような楽しい気持ちで仕事ができるだろう」と思っていたが、メディアをはじめ世の中の関心が向いていたのは公害問題。「公害は『技術の負の部分』の産物といわれ、実害が出ることを知る立場の技術者にも責任があるのは明らかだった。自分もそういう現場に職を得れば『加害者』になっちゃうのかと考えると、ちょっと困ったなあと……」。

岸信介内閣による日米安保改定条約批准の強行採決に始まった一九六〇年代には、水俣病の深刻な被害なども明らかになった。秋葉原の店頭に並ぶ部品や工具に目を輝かせていたころとは違い「戦後民主主義なんてお題目でいい加減なものだということがあらわになって、技術に対して、明るい希望だけを持つことはできなくなってきていた時代でした」。松原が大学に入学した年、富山県の神通川(じんずうがわ)流域で発生したイタイイタイ病で三井金属に損害賠償を求めた患者らが全面勝訴し、新潟水俣病の被害者が昭和電工に損害賠償を求めた訴訟でも原告が勝訴していた。

ヒ素中毒の発生により回収された森永ドライミルク（1955年）

大学での専攻を変えることも含め、自分自身の生き方を模索するなかで松原は、東大で講師をしていた高橋晄正（たかはしこうせい）（一九一八―二〇〇四年）が主宰していた「医学原論」という自主講座に参加するようになる。高橋はのちに、市民団体「薬を監視する国民運動の会」を立ち上げた医学者で、みずからの講師室をさまざまな運動体に提供し、いくつもの団体が「事務所兼会議室兼たまり場」として使用していたという。

　サリドマイド事件やスモン薬害などをとりあげていた講座で、松原は「森永ヒ素ミルク事件」を知り、「被害者が自分と同世代で、切実な問題と感じられた」こともあり、「ほとんど勢いで」支援活動にかかわることになった。事件に対する抗議の一環として、原因企業の製品の不買運動も行なわれていたが、「それは自分にも普段の生活のなかでできることだった」。そこで、東工大の生協に対して不売決議を働きかけたり、被害に対する責任の明確化と謝罪を森永に求めるビラを駅などで配ったりしたという。障害のある被害者の外出に付き添うなどして交流も深めた。こうした経験が井野博満との出会いにつながり、現技史研加入のきっかけとなったのは前述のとおりである。

松原はその後も、高橋の自宅で一九八〇年代初めまで行なわれていた勉強会への参加を続ける。

「森永ヒ素ミルク事件」は一九五五年に発生。七三年には森永乳業が責任を認め、被害者団体および国と被害者救済に向けた合意に達したが、二〇二二年には同社に損害賠償を求める新たな訴訟が提起されるなどした。被害者の支援活動には一九六〇年代後半の大学闘争を主導した全学共闘会議（全共闘）に参加していた人たちもいた。

「被害者の助けになるようなことをやるのは、世の中の問題を解決することにつながり、それは自分たちのためにもなる。だから、支援は自分たちのためにやるんだ、ということを真剣に話し合いました。大学闘争を経てきた人たちがつぎにかかわるべきことを考えたときに、世の中の矛盾を引き受けるようなかたちで苦しんでいる薬害などの被害者を支援し、それによって世の中を変えるんだっていう意識があったと思います」。

松原が入学したころの大学では、その数年前の大学闘争の余韻などほとんど感じることはできなかったというが、「そういうなかで全共闘の人たちといっしょに活動することで、彼らが考えていたことの一部であっても知ることができたのは、自分にとって大きかった」。

一方、現技史研で企業の技術者たちと接することにも大きな魅力を感じていた。技術者の仕事の「加害者性」に対するやりきれなさと、企業社会で自分がどう扱われるのかに対する不安から「就職への恐れ」を感じていた松原にとって、現技史研での議論は「会社の仕事ってどのように進めていくのか、たとえば、上司とどうつきあうかとか、自分がやりたいことを通すにはどのようにケンカをするのかとか、具体的なイメージをつかむ」機会となった。

最終的に松原は、工学専攻は変えず、「加害構造の最大の現場とみなされていた『企業』という場で、加害者になる可能性のある立場にあえて身をおいて、その構造のなかで変革をめざす」という道を選択した。「これが世の中のためになると自分で確信できるようなことを探して、それをやっていきたい」と考えていたのである。

森永ヒ素ミルクの被害者支援にかかわったことや、みずからの将来像を考えつづけていたことなどで二年留年したあと、一九七七年に大学を卒業、就職したのは通信機器大手の日本無線である。松原自身は「ひとつの装置、たとえば魚群探知機を自分で一から十まですべてつくって、その装置の基本的なことはすべてわかっているというような仕事をやりたいと思っていました。ラジオ少年の域はぜんぜん出ていないのですが」という希望をもっていたが、配属されたのは交通情報や雨量などのデータを収集するコンピューター・システムを扱う部署だった。

分業化が進む電算システム開発

職場ではソフトウェアをつくるための長時間残業が日常化し、体調を崩す同僚もいた。企業内部のそのような状況を就職前から不安視していた松原は「嫌だな」と思っていたが、「そうした問題点の本質をつかみ、そこから変えていくことが、世の中の変革にもつながると考えなおし、やってみようという気持ちになりました」と話す。

残業問題に対処するため、松原は労働組合の職場委員に立候補し、労働時間についての会社側との職場交渉にも出席することになった。

技術者には、自分の仕事の内容を精査し、間違いがないというところまで自分自身を追い込むような作業をくり返すことで、みずからのスキルアップを図るという面がある。当時の日本無線の労組はたんに時間を切り売りしているのではないという認識にもとづき、会社との交渉では数か月単位で残業の上限時間を設定。仕事のピーク時とそれ以外の月では残業時間に差が出るようにして、半年なら半年の上限を下回るよう制度を組み立て、それを実効性のあるものにしていた。一定期間は残業しても、それ以外は休めるような人員配置や、健康診断などの充実も労組は求めていた。松原は、こうした活動の一翼を担うことに大きな意味を感じていたという。

労働組合での活動に加え、当時住んでいた東京・杉並区で計画されていた住民基本台帳の電算化に反対する住民運動にもかかわるようになる。

運動は、電算化が国民総背番号制につながることや、個人情報の漏えいをもたらす恐れがあることなどへの懸念から始まった。住民のなかには、電算機について詳しくは知らなくても、人間を管理するためにそれを使うことは許容できないという「直感」から反対している人たちもいて、松原も一住民として、管理されるのは支配されることだとの考えから電算化には懸念を抱いていた。コンピューターにかかわる技術者として、コンピューターにからむ問題が身近なところで起きたのだから、それについてもっとよく知りたいとの思いもあり、運動組織に連絡をしたのだった。

「職場では分業化が進み、自分がつくっている電算システムの全体像を見通すことができなくなっていた。人びとの役に立つものをつくりたいと思ってはいたが、そういうことを実現できているのかどうか自分ではわからないような状況で、電算機がどんな使われ方をしたらいけないのかを知りたいという思いがありましたし、技術者として運動に何か貢献できることがあるかもしれないとも思いました」

行政の側は、職員を増やさずに住民サービスを向上するには業務の効率化・合理化が必要だ、などとして電算化を推進しようとしたが、反対する側は、電算化によって個人の学歴や既往歴、性向などあらゆるデータがコンピューターに入力され、住民基本台帳のもとに一元的に管理される可能性があり、そうなると、住民はあたかも「品質管理」の対象として扱われるようになるのではないかと訴えた。

工業生産における品質管理の考え方が住民に対して適用されると、よく売れるテレビを生産するのと同じように、世の中の役に立つ人間づくりが進められ、そうでない人間は、製造工程から不良品がとり除かれるように社会から締めだされる危険もあるのではないか。そう考えた松原は、現技史研の電算機分科会のメンバーらの協力も得ながら技術者としての知識を提供し、運動を支えた。「コンピューターとはどういうもので、杉並ではこんなことが想定される、ということなどを伝えました」。

みずからもコンピューター技術者として、杉並区がやっているような管理強化のための仕事にかかわることになるかもしれない。「(その意味で) 加害者側に立っているという意識はずっと持ちつづけていました。ただ、そういう、いわば『矛盾のポイント』にいることで見えてくることもあるんじゃないか、それが、自分自身が人間のデータをコンピューターで扱うような立場になった場合、どう対応するべきかを考えるうえで重要なんじゃないかと思っていました」。

ドライバーたちの訴訟を技術で支援

現技史研は発足当初から、なんらかの運動体として活動していたわけではなく、松原個人は会のサロン的性格にものたりなさも感じていた。しかし、杉並の例や井野博満の刑事裁判支援などにみられるように、一九七〇年代後半から八〇年代前半にかけては、外部の運動体をサポートし、技術的な問題を解明するという役割をはたすことも増えてきて、それが現技史研としていかに社会にかかわるかのありようだったと松原は考えている。「現技史研自体が運動体ではなくても、運動を生みだす場のひとつとして機能し、身近にあるさまざまな運動体と交流しているという状態があれば、会の存在意義もあると思います」。

現場の技術者は、技術の特徴も問題点も把握していて、どこをどうすれば変革できるかを具体的に提案できる。わかっているのは自分の職場、自分の技術分野のことだけかもしれないが、さまざまな技術者たちが集まって信頼関係を結び、職場や企業の枠を越えて知恵を出しあえば、技術的な問題をめぐってどんなことが起こりうるのかが浮き彫りになり、世の中に警告を発することもできる。「それが現技史研の最大の力だと思っています」。

かつて、現技史研で初めての全国総会をまえにした一九五七年、星野芳郎は会のあり方として、社会や職場で起きている問題に対応するため、さまざまな専門分野の人たちがそれぞれに集団をつくって相互に連携し、それを現技史研が支えるという姿を描いていた。杉並での松原らの動きは、星野の思いを具現化したものだった。

元農水省の井上駿は「技術者運動を進めていくうえで現技史研という組織を表に出してしまったら、会員である技術者に対する風当たりも強くなり、弾圧もされるから長続きしないと星野さんは考えていました。いわば地下組織に近いかたちで存続させて、そこで得た知識は現場でどんどん使ってくれっていうスタンスだったのだろうと思います」と話している。

宇井純の自主講座を裏方として支えた山路靖雄も、「現技史研でまとまって行動を起こすっていうことじゃなくて、それぞれの会員が自分の専門分野を生かしながら、それぞれの職場、あるいは地域を変えていくために取り組んでいくのだと考えていました」と説明する。

水俣病問題を告発した宇井や、福島第一原発事故後に脱原発を訴えた後藤政志などは実名での行動となったが、名前を明かすこともなく、さまざまな運動を裏で支えた会員たちの実践は多くの場合、秘密裏に行なわれ、記録にもほとんど残っていない。

裏方の活動として松原がかかわったもうひとつの事例は、車の速度違反をレーダーで取り締まる「ネズミ捕り」に引っかかり、速度超過との指摘に納得がいかずに裁判に訴えたドライバーの訴訟支援だった。現技史研のメンバーらとともに、ネズミ捕りの現場を調査したり、レーダーの機構や性能を分析したりして、レーダーの測定違いの可能性を論証する鑑定書の作成をサポートするなど、まさに専門知識を生かしての支援だった。鑑定書をまとめるため、都内の法律事務所に泊まり込んだ松原ら若い技術者たちの様子は、「大学時代の合宿を思い出してか、まったく無償の奉仕であるのに彼らは生き生きとして見えた」（『ネズミ捕りレーダー神話の崩壊』晩聲社、一九八一年）と記されている。松原自身も「好きでやっていることだけど、やる意義のある活動だと思い、学園祭の乗りで嬉々としてやっていました」と話している。

松原が当時勤めていた日本無線も、警察が使うレーダーをつくる会社のひとつだった。松原自身はレーダー製造とは無関係の業務についていて、鑑定書の作成で社内の情報に頼ることはなかったが、「もし自分がネズミ捕りレーダーの仕事にかかわっていたら、訴訟の支援をしていただろうか」と考えることもあったという。

自分の専門性を職場や社会、またみずからの生活のなかでどのように生かしていくのかを、現技史研の会員らは追究してきたと、松原は言う。匿名での活動を無責任だと非難する声も聞こえてきたが、「公に発言できない場合でも、私たちはぎりぎりのところでやってきたし、生きてきました」。現技史研が秘密結社である必然性は、確かにあったのである。

このほかにも松原は、企業で働く人びとの内部告発を制限し、労働災害や公害、人権などにからむ問題を社会に知らせようとする声を封じ込めるためのものとみなされた「企業秘密漏示罪」に反対する技術者の会でも、メンバーのひとりとして活動した。会は現技史研を母体として設立されたものだつた。「企業の人間が、自分が所属する組織のやっていることに問題があると考えた場合、それを正すために企業の内外でいろいろな人たちと情報を共有し、変えていこうとすることもあるでしょう。そういう行動を抑圧するということは、問題の構造、秘密を知る立場にある技術者についても、その良心、自由を束縛することにつながる。それには絶対反対しなければいけないということで運動を始めました」。

活動のひとつとして、松原らは一九七八年、企業への就職を考えている学生向けに『もうひとつの就職案内』という冊子を作成した。現役の技術者がそれぞれの企業の実名を挙げ、内情や職場環境を「いいことも悪いこともぜんぶ含めて紹介したもの」だ。

このなかで、ある大手化学会社の技術者は、研究テーマが営業サイドの意向でめまぐるしく変わるため、自分の仕事の位置を見失ったり配置転換となったりしてがくぜんとすることがある、と職場の状況を説明。一方、食品会社の社員は、企業は学生の能力だけでなく「全部を買おう」としていて、全人格をもって組織に奉仕することを求めているとし、「企業の中で技術者として生きることはそもそも闘いであるということを覚悟して欲しい」と訴えている。会社選びの参考にというねらいをこえて、学生のうちから生活のほぼすべてが取りこまれてしまうような企業の実態を知り、民主的な職場の構築に取り組む意識をもってほしいという願いも込めた企画だったという。

技術者をとりまく環境の変化

松原は日本無線でコンピューター関連の仕事を続け、一九九〇年に三十九歳でソニーに転職する。

一九八〇年代半ばからのバブル経済に踊る日本社会に嫌気がさし、オーストラリアやカナダへの海外移住や外国企業への転職も模索したが、「日本でもっとも日本らしくない」と見えた会社で携帯電話の開発に携わることになった。

入社してみると、ソニーも「日本の会社でしたね」ということになるのだが、そこでの仕事は「面白かった」し、職場のカルチャーも「私には合っていたと思います」という。上司を職制ではなく「さん」付けで呼び、ひと回り以上も若い社員が自分に対して対等にズケズケとものを言ってくる。「そういうのは私にとって、ひじょうに気楽な感じでした」。

何を言ってもかまわないような職場でもっとも重視されるのは「言っていることに根拠があり、相手に『うん、そうかもしれないね』と思わせること。そうでなければ自分が相手にされなくなるし、それは本当に真剣で、面白いことでした」と松原はふり返る。開発に五年を費やした携帯電話（PHS）を世に送りだしたのは貴重な体験で、ラジオ少年の面目躍如だった。技術者を志したころに思い描いていたような、自分が開発した製品について「一から十までわかっている」という手応えを感じられる仕事だったという。

その後もさまざまなプロジェクトにかかわり、開発計画を実現するために「いかにして周りの人間に『うん』と言わせるか、いかにして上司を説得して（開発）資金を取ってくるかを考え、プレゼンに次ぐプレゼン」という日々も経験する。

ソニーには停年まで勤め、その後は特許調査にかかわる仕事についた。

技術者としても一生活者としても現技史研に支えられてきたが、自分のように一九七〇年以降に仕事を始めた世代と、それ以前の世代の会員とのギャップを感じることも少なくなかったという。

戦後復興に向け、人びとが科学技術に希望を抱いていた一九五〇年代、高等教育を受けて技術者になったのは、いわば「社会的エリート」だった。しかし、時代が進むと、公害問題や大学の大衆化、技術の進歩を背景とした職場での合理化の推進などを受け、技術というものに対して明るい希望だけをもつことはできない状況が顕在化してきた。

前述のように、アカデミズムの世界で「学問の自由」があるように、技術者にも「技術者の自由」「技術者の権利」があるのではということが提唱されてはいたが、松原自身は「資本主義社会で、何をつくるかを決めるのは資本の側なのだから」と懐疑的だった。「むしろ、何を、どんな目的で、どのように開発・生産し、どこで売るのかを技術者が理解していて、そうしたことを社会的に検証するときに、技術者が自分自身の良心にもとづいて発言することが保証される、それを資本の側も認めるということが、学問の自由に対応して、技術者が確保しておかなければいけないことだと思っていました」。

技術者がこうした力をもつためには労働組合のバックアップも必要だと、松原は考えていた。「素晴らしい発明をするような実力のある技術者でも、個人で会社と渡りあっていくのは大変なこと」だからだ。

技術者が社会のなかで必要な仕事をしていくための条件を、労働組合の運動をとおして実現することをめざしたが、一九八〇年代になると、生活水準が向上したことなどで組合に対する要求や期待は薄れ、運動を広げていくことはできなかった、と松原は言う。「バブル的な成長のなかで、労働条件の改善に取り組むことなく、賃上げ要求のみの物取り主義に陥っていた御用組合ですら社員に必要とされなくなっていた」。

一九八〇年代から九〇年代にかけての労働組合をとりまく状況をみると、国鉄の分割・民営化に反対した組合に所属する職員らが新会社への移行過程で不利益な扱いを受けたとされて問題となったり、八九年には自治労や日教組、国労などを主力とした総評が解散して日本労働組合総連合会（連合）が発足したりという出来事があった。九三年の総選挙では自民党が過半数割れし、社会党も惨敗を喫する「五五年体制」の崩壊へと時代は流れていく。「闘う労働組合」という言葉は、もはや過去のものとなっていたようだ。

二〇二二年には連合会長と自民党幹部との会食が報じられるなど、連合と与党の「接近」が顕著になっていく。

松原の世代以降、現技史研の入会者も少なくなっていく。「世の中がおかしいと思っている人も、あるテーマについて関心をもっている人もいるけど、多くの場合、自分は大衆のなかのひとりに過ぎないと考えて、社会の矛盾や自分の関心事を突きつめるということはなくなってきているように感じました。全体的に、大量消費社会のなかで自分が楽しいと思えることを探し、個人の世界に閉じこもっていくような時代で、入会者を掘り起こすことができなくなっていきました」。

勤務先の日本無線とソニーでは、松原が現技史研の会員だと知っている同僚は数人いたし、松原から入会を勧誘したこともあったが、「そういうことも必要だよね」とは言うものの、実際に入会に至ったケースはなかったという。一九八〇年代以降の企業技術者にとって、技術がはらむ矛盾は、仕事を進めるうえでは当たりまえのように存在している前提条件のようなものであり、「克服すべき対象ではなくなっていた」。現技史研のようなグループに参加し、真剣に考えるテーマではもはやなく、参加する動機そのものがなくなってきたと松原は感じている。

松原弘

技術者の仕事の変容

技術者の意識とともに、技術者の仕事そのものも変わってきた。

日本が科学技術立国といわれ、家庭にはビデオカメラやパソコン、携帯電話などの機器があふれるような状況で、消費者は必要な性能を備えた電気製品をほとんど手にしている。そうなると、社会が求める製品を設計し世に送りだすことを仕事としていた技術者は、「世の中はつぎに何をほしがっているんだろうと試行錯誤する」ことを強いられ、他社の製品にはない機能を搭載して買い換え需要に対応することが商品開発の目的となっていく。その結果、使いもしない機能がたくさん付いている製品が巷にあふれることになってしまう。

「資本主義社会で企業の存続、成長を考えると、人びとの欲望、あるいは中毒症状を喚起しつづけることが必要になってくるわけですが、それができるのは、家庭なら家計が続く範囲で、地球なら地球環境が持続する範囲で、というのが前提です。そこを棚上げにしたまま社会は進んでいき、技術者は仕事を強いられている。そういう状況は、もう限度を超えていると言ってもいい」

ある商品の試作から製造、検査、ユーザーからのクレーム処理までの過程を俯瞰(ふかん)するような作業をとおして能力を蓄積してきた技術者は、さまざまな業務の外注化が進むなかで、設計から製造、販売に至る過程の一部分だけを担うようになり、その結果、職業人としての総合力は低下する。それは企業自体の技術力の低下と製品の品質の劣化をもたらすことにもなる。

技術や技術者をとりまく殺伐ともいえる状況を、松原は現代技術史研究会の会誌などで報告してきた。二〇一〇年に内藤誠のペンネームで発表した「漂流する技術者」と題する論稿によると、ある企業で中核となる技術の開発を進めるときに、主力となってかかわる少数の技術者と、それ以外の大多数の技術者との地位の格差が広がることがある。しかし、中核技術を担う技術者も、成果が出ないとみなされると、たちまちその地位を失う。また、中核技術そのものも、その企業のビジネスモデルが大きく変われば中核ではなくなり、そこにかかわる技術者ごとリストラされることになる。ラジオ少年だった松原が技術者を志したころのような「手に職があって食いっぱぐれることもなく、好きな『ものづくり』を続けられる」ような仕事では、もはやなくなっているのだ。

一方で松原は、「普遍的に適用可能な技術の活躍の余地はまだある」とし、「地球に一様に降り注ぐ太陽光を効率良く利用する技術開発は、今後も必要とされる普遍性のある技術の一例」として挙げている。さらに、それぞれの地域の自然や社会環境に適合した技術を、それぞれの地域で発展させることのできる技術者を養成し、「材料やエネルギーの使用の少ない技術開発・製品設計と、製品の長寿命化をはかり、資源収奪的でない技術開発の方向に進まなければならない」とも指摘した。

「その場所に合った技術を、その場所に合った方法で、なるだけ環境に負荷をかけずに進めていくことが、技術者が進む新たな方向だと訴えたかった」と、のちに私に説明している。

「持続可能な開発目標」（ＳＤＧｓ）についても、現技史研は議論を重ねた。「ひととおり勉強して問題点もつかめたけど、じゃあ、どう対処すべきかとなると、なかなか難しい」。技術のありようについて、現技史研を足場にした松原の模索は続く。

軍事技術の開発や公害など「加害者性」を意識しながら企業のなかで仕事を続けた松原が刺激を受けつづけてきた現技史研のメンバーが、同い年の田中直（たなかなお）である。会社の業務をとおして得た知識や経験を生かし、アジア地域で活動する非政府組織（ＮＧＯ）を立ち上げた田中を、松原は「企業のなかにあって、たとえば環境に優しい事業の推進など、自分のやりたいことを提案し、それを実現しようとしていた」と評し、「敬意や憧れ」のような感情をもってみていたという。

「インドネシア仕様」のＮＧＯ活動家――田中直

私が田中直に初めて会ったのは、東京・ＪＲ鶯谷（うぐいすだに）駅近くにある特定非営利活動法人ＡＰＥＸ（アペックス）（Asian People's Exchange）の事務所だった。田中は一九八七年四月に発足したＡＰＥＸの代表として、インドネシアを中心に職業訓練や排水処理などのプロジェクトに現地のＮＧＯと連携して取り組んできた。発足からしばらくは、勤めていた石油精製会社での仕事とＮＧＯ活動の「二足のわらじ」を履いていたが、ＡＰＥＸの活動に専念するため、一九九九年に四十代後半で会になる。

社を辞め、その後は毎月一回ぐらいの割合で日本とインドネシアを往復する生活を続けること

次第にインドネシアにいる時間のほうが長くなり、帰国すると腹の調子が悪くなったり血圧が高めになったりと、体も「インドネシア仕様」に変わっていったが、旅行好きの田中にとっては「わが世の春」だったという。

石油という限りある資源を環境に影響をおよぼしながら使う仕事に、疑問を感じていたというが、取材時には「会社の仕事で排水処理の研究などにかかわり、そういう経験をすべて生かしながらNGO活動をやってきました」と、会社の業務もできるだけプラスにとらえてきたことも明らかにした。「会社でやっている仕事を、自分のやりたいことにどう引きつけていくか、そこが努力のしどころで、それが、ある意味でかなり成功したと思っています」と、APEXの活動を説明するなかで語っている。自分がいる現場で、自分にできること、やりたいことを追い求め、アジアの人びととのかかわりを深めていった。

講義よりもラグビー

田中直は一九五一年、ＡＰＥＸが事務所を構えた鶯谷駅近くで生まれ、その地で育った。学校生活は小学校から高校、東京大学の本郷キャンパスまで「ほぼ歩いて行ける範囲」で送っていた。自宅の周りには長屋のような住居が残っていて、子どもたちが裸で遊んでいる様子が記憶にあるという。駅の近くには書店があり、少年漫画雑誌の発売日になると「待ちきれずに開店前からお店の前に出かけて、開くと同時に買ってくる」ことを楽しみにしていた。

父親が電気関係の仕事をしていたため、家には比較的早い時期からテレビがあり、「プロレス中継などがあると、近所の人たちが集まってきていっしょに見ていた」という。

一九五〇年代半ばの日本は、高度経済成長期の先駆けとなる「神武景気」が始まり、白黒テレビ・洗濯機・冷蔵庫の「三種の神器」が徐々に普及する家庭電化時代を迎えていた。幼かった田中にとっても「日本が成長していくっていうのは当たりまえみたいな状況だった」が、一方で「成長するのは本当にいいことなのか？」という疑問も感じていたという。

「成長のためにはセメントや鉄を使い、廃棄物も出る。いろいろなものを大量に消費してごみをいっぱい出して、っていうことに対しては疑問に思っていました。いまでいえば『エコロジカル』な感覚なのかもしれないけど、当時、多くの人がもっていた『もったいない』という気持ちの延長だったような気もします」。風呂を入れるさいも、無駄に沸かすことのないよう気をつけていた。

高校二年で学園紛争を経験。学校では「いまの社会の問題は何か、これからどういう社会をつくっていけばいいのか、本当に一生懸命議論しました。そのなかで、近代社会に対する根源的な問題意識が育っていったのだと思います」。人間が人間のためではなく金のために働くような資本主義というシステムに代わるものがあるのか、あるとすればどのような社会システムなのかを、田中はこのころから模索しつづけることになる。

学校での成績は、文系科目も理系科目もおしなべてよかった。一年の浪人生活ののち、有名私大の文系学部にも合格したが、結局、「理系でも、努力すれば文系のことも勉強できるけど、文系に入って理系の実験などができるのかといえば、できない。実験もやり、ものも設計し、化学反応もわかり、っていうほうに進むほうが、将来の選択の幅が広がるんじゃないか」と考え、理系学部への進学を選択、東大の反応化学科（当時）で学ぶことになった。

ただ、高校時代に社会のあり方をつきつめて考えた経験から「東大で行なわれている授業には、あまり出る気になれなくて」、授業出席の数倍の時間をラグビー部での練習に費やすことになる。ポジションは、フォワードとバックスの連絡役で攻撃の起点ともなるスクラムハーフ。

「私自身は体も小さいし、運動神経もよくないのですが、ラグビーはそれぞれのプレーヤーに当てはまるポジション、役割があって、これはいいんじゃないかと思いました」。体育会系のクラブにありがちな上下関係の厳しさもなく、火曜日から土曜日までは東京・駒場キャンパス近くで練習、日曜日は試合、月曜日だけが休み、という学生時代を過ごした。

こんな事情で、授業にはあまり出席しなかったが「卒業研究だけは、かなり一生懸命やりました」。燃焼についての研究室に所属し、地下街で火災が発生するとどうなるかを解明するため、模型をつくって実際にその中で火を燃やして分析、卒業論文に仕上げたという。

宇井純が東大でやっていた自主講座「公害原論」にもたびたび出席していた。

「自主講座は、出席したから単位がもらえるっていうものじゃなかったけど、社会が必要とする学問をそこでつくっていくという意味で、大学の普通の授業以上の価値があると思っていました。宇井さんご自身は現場をひじょうに大事にしておられました。水俣など現地に足を運び、そこの方々と実際にやりとりしながら調査していて、そんなやり方に感銘を受けました」「(大学の授業は)有機化合物はこう結合して、こう反応して、みたいな教科書に書いてあることを教えて、それはうそでもなんでもないんだけど、宇井さんの講座は科学的な知識を動員して、それで何をするのか、社会にどう役立てるのかという、普通の授業では扱わないことが前面に出ていました」

後述するように、田中はその後、NGOの活動を進めるなかでインドネシアでの排水処理などにかかわるようになるのだが、宇井にはプロジェクトの相談を持ちかけたり、インドネシアの国際会議での講演を依頼したりと、長くつきあいが続くことになる。

石油会社で直面したコンピューター問題

卒業後の一九七六年、石油精製会社に「半ば偶然に」就職する。その会社とつながりのある反応化学科の教授に「あいさつに行ってこい」と言われて出かけたことがきっかけだった。「いまとは違って、就職にはまったく苦労しない時代」で、学生時代は環境問題への関心などもあり「実社会を知らないまま漠然と企業というものを批判していたけど、本当はどうなのかわからないので、批判対象であっても飛び込んでみようか、という気持ちはありました」。

技術系の学生の就職先として人気が高かったのは電気・電子関係などの企業だったが、石油会社は、一九七三年の第一次石油危機を経て再生可能エネルギーへの転換など大きな変革を迫られる可能性があり「自分なりに、そこにかかわることもできるんじゃないか」という期待もあったという。

入社後、最初の四年間は大阪の石油精製工場で、設備の改善などにかかわるテクニカル・サービスの仕事に従事した。「大きな視点で見ると、再生不可能な石油の使用を手助けする会社なんてけしからんと思っていても、目の前の仕事に手をつけてしまうと、実際の仕事は面白いし、どうしても集中して引き込まれていく。そういう過程で自分自身の力もついて、さまざま人間関係もできていくわけです。一方で、自分が本当にやりたいこと、言いたいこと、考えていることと違うところで人と関係し、話し、行動することになるわけですから、こうありたいと思う自分から引き離されていくという面は、どうしてもありましたね」。

大阪勤務時代に、当時京都に住んでいた星野芳郎とも面識を得て、現代技術史研究会との関係もできた。一九八〇年に東京に異動、コンピューターによる情報処理部門の仕事を担当するようになり、現技史研のコンピューター問題を考える分科会に参加したことが、会の活動に「深入りしていくきっかけ」となった。分科会では東京・杉並の住民基本台帳電算化問題やスピード違反取り締まりのネズミ捕りレーダー問題に取り組んでいた松原弘らも、議論や研究を進めていた。

田中は電算機問題分科会の幹事となり、分科会のメンバーらは研究の成果を会誌『技術史研究』第六三号（一九八二年四月発行）に「特集　コンピュータ問題」として発表した。特集号の編さんについて、分科会は「電算機による合理化は、この八〇年代においてさらに広く深く進行すると予想される。その社会的影響は、配転・失業の増大にとどまらず、労働の疎外、管理社会化さらには新しい質をもった事故・労働災害発生の危険までも含んでいる」との問題意識を明らかにしている。

田中は「コンピュータ問題への視点」と題する巻頭論文を執筆、急速なコンピューターの普及について「それはオフィスの様相を一変するかもしれないし、官僚たちにとっての強力な武器となるかもしれない。さらには、かつてテレビや電気洗濯器が急速に家庭に入りこみ、現在では必需品といえるまでになったように、マイクロ・コンピュータや端末機が平然と家庭の中に居すわる時がくるかもしれない」と、そのときから十数年後の状況を言いあてた。

さらに、コンピューターによる合理化の進展は「失業問題」と「貧困」を生みだすとともに「人々がそれまで自分の仕事に対して抱いていた幻想をうち砕き、その仕事における人々の存在価値の希薄さ、代替可能性を露呈」し、労働の意味を「風化し解体していく」と予測。残される仕事は「機械と既存のシステムに支配された、まったく没個性的な」ものとなり、コンピューターは「労働疎外の最終的完成者」になりうるとした。

教育現場でも、コンピューター端末を相手に勉強するような状態が広がると「教える者と教えられる者との人間的交流の中で互いの可能性を開いていく」という教育本来の営みは失われ、子どもたちは「所詮コンピュータでもなしうるようなことしかできない人間になっていく」。一方、行政機関へのコンピューターの浸透は、国家による市民の行動、思想への監視を容易にし、国家が設定した行動パターン、思想の枠組みからはみ出す者を「もらさずチェックしようとする管理者」にとっては「有用な武器」となる。こうした危惧を示したうえで、田中は「これまで社会は、その社会の矛盾をひときわ深く膚に感じ、それゆえにその社会のあり方を乗り越えようとした人々によって変革されてきた。コンピュータはそれらの人々をもれなく検出し監禁することによって乗り越え不可能な社会をつくってしまうかもしれない」と、コンピューターがもたらす社会の将来像を、かなり悲観的に予測している。

この会誌には、松原弘も杉並区での住民基本台帳の電算化問題について寄稿するなど、コンピューター時代に予想される負の側面に警鐘を鳴らす論文が並ぶ。

そのなかのひとつ、「コンピュータの安全性」と題する論文は、一九八〇年代初頭にあいついだ大手銀行でのオンライン・システム障害や、米国での航空管制システムのコンピューター故障をあげて「コンピュータと人間との能力の大きなギャップは、コンピュータがひとたびダウンしたとき、もはや人間がそれを代替できない事態を生じる危険がある」と指摘し、「コンピュータが止まっても人間が対応できる領域のみにコンピュータの仕様を限定すること」以外に、コンピューター事故の破局から社会が免れる道はないとの危機感をにじませた。

一方、「コンピュータ営業の一日」という記事は、早朝から深夜まで打ち合わせや顧客の対応に追われ、あの手この手でライバル社を出しぬこうと奮闘する、あるコンピューター・メーカーの営業担当者の一日を、ときにユーモアを交えながら紹介している。

記事に書かれた日の前日は顧客を接待し、当日、二日酔いぎみで仕事を始めたのは午前九時。長期・短期の販売予測や競争メーカーの動きなどに関する本社へのレポート作成に時間をとられるとこぼしつつ事務作業を始めるが、上司からは「今年の君の売上げは良くない。策は考えているのか。売り込み中のM社はうちのユーザーでないので難しいだろうが何とか売れ」と叱責される。そのM社を訪ねると、提案していたシステムについて「見積もりどおりのパフォーマンスを出せるかどうか疑問だ。もっと明確な計画を作ってくれ」と注文をつけられ、他社からの提案を引きあいに値引きを迫られる。会社に戻って対策会議を開き、M社への資料を作成して、同僚と職場を出たのは午後十一時。その晩も「軽く一杯飲んで行こうか」で長い一日は終わる。

編集後記で田中は分科会での議論を総括し、コンピューターをめぐる問題は「コンピュータ技術者としてのわれわれが日々手を下している、まさにその仕事に対する問いなのだ。だからわれわれは考え続けないわけにいかない」と述べている。

連続ゼミナールを市民と開く

この会誌を発刊後、分科会は田中の提案で「コンピュータ問題を考える連続ゼミナール」という公開講座を開催。東京・西荻窪のフリースペースで一九八二年春の土曜日の夕方、計七回のセミナーを行ない、現技史研の星野芳郎らが講師を務めた。コンピューターの隆盛が世間の注目を集めていた時期で、定員の二倍の六十人近い参加申し込みがあったといい、セミナー修了後は懇親会を開いて参加者や講師らとの交流を図った。

「産業界はコンピューターをどのようにしてビジネスにつなげるのかを考え、時流に乗り遅れるとまずいと考えていましたが、一方で、このままコンピューターが進歩し、社会に行き渡ることで何か問題は生じないのかと懸念する人たちも大勢いました」。セミナーは、そういう人たちに考える材料を提供できたのではないかと、それから約四十年後、田中はふり返っている。

コンピューター問題から始まったこの公開講座は、現代社会が抱える問題とそれをもたらす構造をさまざまな角度から総合的に検討していこうという試みに発展し、「近代化の問題を考える連続ゼミナール」「エネルギー問題を考える連続ゼミナール」などが、現技史研の枠を越えて行なわれるようになった。

こうしたシリーズの一環として、一九八三年十一月から十二月にかけて計五回開かれたのが、「第三世界の問題を考える連続ゼミナール」である。

日本平和学会会長やNPO法人「アジア太平洋資料センター」代表などを務めた北沢洋子（きたざわようこ）（一九三三―二〇一五年）や、北沢同様、日本平和学会会長として平和や軍縮問題について発言していた早稲田大教授の西川潤（にしかわじゅん）（一九三六―二〇一八年）らを講師に招いたセミナーは、開発途上国の貧困や環境、人権などの問題に焦点を当てた。参加者らは講師の著作を事前に読んだうえで聴講、約二時間の講演のあとは講師とのあいだで質疑応答が行なわれた。講演録はのちに『第三世界の問題を考える』（勁草書房、一九八五年）として出版された。

それによると、先進国の人間として何ができるのかについて、北沢洋子は「先進国の労働者の豊かさが第三世界の労働者の搾取によって支えられている」構図を示したうえで、たとえば、日本では禁止されている農薬が第三世界では広く散布されているようなケースで、その農薬についての詳細なデータなど現地が必要としている情報を、日本の消費者運動や反公害運動の関係者が提供できれば「すごく役に立ちますね」と奨励した。西川潤は、井戸掘りの技術を提供したり、種まきに使う簡単な道具を持ち込んだりするなどの具体的な協力方法を提示した。

講演を聴き、セミナー参加者のあいだには「自分たちにできることをやりたい、やらなくてはいけないのではないか」という思いが次第に高まっていたが、それをとりわけ喚起したのは、東南アジアを歩きながら漁民の生活や食物の交易などについて研究し、その成果を『バナナと日本人』（岩波新書、一九八二年）や『ナマコの眼』（筑摩書房、一九九〇年）などの著作で発表していた鶴見良行（一九二六―一九九四年）だった。

鶴見は、インドネシアやフィリピン、マレーシアなど東南アジアの辺境に行くと、国境を自由に往来しながら交易し、自分がその国の国民であることを意識せずに暮らしている人びとが多くいることを紹介。「たまたまオランダが囲い込んだ土地が、今日の独立国インドネシアになった。もともと原型になる国家があって、それが植民地化されたわけではない」のであり、西洋でもせいぜい二百～三百年前に完成した国民国家（ネーション・ステーツ）は島嶼東南アジアには存在しないし、「持っていないというのは遅れているという意味ではなくて、持たないで済んだ」のだと指摘した。そんな地域にもたらされたのが、日本を含めた外国資本と結託した中央権力による経済開発、工業化だった。

では、第三世界が新植民地的状態から解放されるために、先進工業国に住む自分たちには何ができるのかとセミナーの参加者が問いかけると、鶴見は「日本人の持っている国家主義のまとまり意識みたいなものを解放し……日本人が世界のバラバラな人々の間に入って行って、お互いが平等につきあえるように、もっと穏やかな形でつきあえるようにすること」を自分自身はめざしていると答えた。

参加者らには「皆さんが皆さんの置かれている状況で、私はこういう風にやりたい、私はこういう風に考える、という形のものを、それぞれの生活に密着して考えるより他に方法がないと思う。一般的にどういうことができるかを論じても、ほとんど無意味です」と話し、まずは第三世界に対し抑圧的な先進国のあり方、暮らし方を改める、つまり、自分たちの足元を見直すところから始めるしかないのではないかと提起した。

「地を這うように現地を歩き、アジアの社会がどのように成立し、今後どうあるべきかという議論を、そこにいる人々の姿を通して進めていく」という鶴見の姿勢は、セミナーを主催していた田中を含め、参加者らに大きな刺激となった。

アジアで出会った資源再生産業

「開発途上国の問題の多くは、先進国との出会いによって起きているのではないか」と考え、その解決のために何かをやりたいと思ってはいても、何をすればいいのか見当もつかないでいた参加者の有志らは、翌一九八四年の夏、「まずはアジアを歩いて、現場を知ることから始めよう」と、タイ東北部の貧困地帯に十日間の旅に出かける。メンバーは田中ら十二人。その国が抱える問題や現地の人びととの実際の生活に触れる「オールタナティブ・ツアー」をアレンジしていたタイの旅行社に案内を頼み、出発前にはタイ語の講座やタイに関する勉強会を行なって準備を整えたという。

「その地域の農村で民家に泊めていただいて、GDP（国内総生産）的にみればものすごく貧しいけれど、日本とは違う時間が流れていて、なんだか豊かな暮らしだな、ということがわかってきました。一方で、いろいろな問題があることも見えてきました。ただ、本当に素晴らしい旅行でした」と、田中はふり返る。

そのツアーの参加者からまた仲間が広がり、勉強会を開いたりしながらアジア各地を「地を這うように歩く」旅は翌年以降、毎年続くことになった。

一九八五年の夏にはタイの東北部の村からマレーシアを南下し、シンガポールに至る二週間のツアーを行ない、消費者運動や環境保護活動に取り組む非政府組織（NGO）を訪ねるなどした。「この旅行で、現地のNGOの存在を強く意識するようになった」という田中らは翌八六年の夏に、初めてインドネシアを訪れる。それまでのツアー同様、事前にインドネシア語の講座を計八回開き、上智大学の教授で東南アジア研究をしていた村井吉敬（むらいよしのり）（一九四三―二〇一三年）を招いての勉強会も行なった。

現地では、村井から紹介を受けるなどして、飲料水の浄化や農機具開発などのプロジェクトを進めていた団体をはじめ、計八団体のＮＧＯを訪問した。そのひとつが、ジャワ島中部スマランで低所得者向けに安価な住宅を供給する活動をしていたＹＡＢＡＫＡである。

ＹＡＢＡＫＡは設立後一年にも満たないＮＧＯだったが、住宅供給のほか廃棄物利用や緑化などにもかかわっており、田中は「この団体とつきあうと、おたがいに協力しながらさまざまなプロジェクトを進めることのできる可能性があるのではないか」と直感的に思ったという。ＹＡＢＡＫＡとの協力関係を構築することについて、田中はセミナーやツアーのメンバーたちに提案し、半年後の一九八七年一月にはその打ち合わせのため再度インドネシアを訪れた。

ＹＡＢＡＫＡの活動現場を視察し、幹部らと協議した結果、①おたがいの社会や文化、産業について情報交換をしながら日常的な対話を進め、住宅供給にかかわる技術についても双方で研究を深め、技術的アイデアを提供しあう、②両者の理解と友情を深めるため、相互訪問の機会を設ける、③日本側は少額ではあるが資金的な支援をする――ことなどで話がまとまった。

こうして田中らのグループは、第三世界セミナーで学んだことやアジアのＮＧＯとの関係を基軸としながら、アジアの現場をとおして日本も含めた世界の構造を概観し、必要があればその変革にコミットする行動をスタートしたのだった。

二度目のインドネシア訪問のあと、具体的な活動の構想を練り、四月に発足した日本側の団体がＡＰＥＸ（Asian People's Exchange）である。それから半年で集まった会員は約三十人だった。

翌一九八八年のゴールデン・ウィークには、ＹＡＢＡＫＡからふたりが来日し、約十日間、都内の町工場や山口県の廃プラスチック再生加工工場を見学するなどして相互訪問が実現した。

コンピューター問題や第三世界に関するセミナーを開催したり、その記録集の編集・出版に携わったりしながら、田中は石油会社の社員としての勤務を続け、東京本社の企画部で「石油化学関係の新規事業の検討や特許管理など、あまり気の進まない」仕事に従事していた。ＡＰＥＸの活動が本格化してからは「会社の休み時間や、夜の空いている時間を使って、そちらの仕事をこなしていました。現地に出かけるときには、週末二回とそのあいだの平日五日を休んで九連休を取り、それを年二回やっていました」。

田中はそのころ、廃プラスチックの再生に取り組む業界のＰＲ映画をたまたま見たことから、資源を節約し、環境破壊を助長せず、商売としても成り立つ新規事業として、廃プラ再生の仕事を社内で提案。みずからその業務に携わるようになり、会社での仕事も新たな展開をみせていた。廃プラの新製品を持って客先をまわる営業の仕事も初めて経験した。「まったくなんの顔つなぎも手がかりもないところから、自分で販売ルートを探しだし、顧客を新しくつかんでいく」仕事だった。「必要があれば、どんなところでも当たりをつけ、飛び込んでいける感覚が身についた」といい、この営業経験が「会社の仕事で身につけた能力のなかでは、もっとも直接的にＡＰＥＸの活動に役立っている」のだという。

アジアに目を向けると、使い古しのドラム缶で石油コンロをつくったり、古い鉄道のレールを再利用したりといったリサイクル型の産業に興味をひかれた。「ものすごく巧妙に廃棄物を利用しながら生産活動をするという点で面白かった」という。しかし、それも、現地の人たちにとっては「エコロジカルな発想から構想したというよりも、資金のない状態で原材料と生産手段を調達しようとする時、必然的にたどりつく形態であるというほうがおそらく正確で、かつ、考えられないような低賃金に支えられていた」と、ＡＰＥＸが発行していたニュースレターでは報告されている。

一九八八年春、勤務先の会社がバイオテクノロジーの事業を始めることになったため、田中は東京から仙台にある東北大学の付属研究所に異動、生化学の実験にかかわることになる。

このころ、ＡＰＥＸは田中の提案で、日本の大学生から希望者を公募し、夏休みなどの長期休暇に一か月程度、現場での作業体験のためＹＡＢＡＫＡに派遣するプログラムをスタートしていた。ＹＡＢＡＫＡとの具体的な協働の場をつくり出すとともに、学生にとっては現地でＮＧＯの活動を体験する機会となる。ＡＰＥＸにとっても、活動を対外的にアピールし、学生にもかかわってもらうチャンスになると考えての提案だった。

また、インドネシアでの二番目のパートナーとなるＮＧＯを求めての旅で、ジャワ島ソロのＹＰＫＭという団体とも出会った。ＹＰＫＭは就業の機会が少ない地域にあって若者に対する金属加工の職業訓練などをしており、田中はその活動にはおおいに感心したものの、一方で、職業訓練所の貧弱な設備はなんとかしなければいけないのではないかとも考えた。そこで、旋盤の導入を提案。ＹＰＫＭ側も、ソロには旋盤技術に対する需要があり、旋盤があれば訓練内容も向上すると歓迎し、「旋盤プロジェクト」が始まった。

ＹＰＫＭは日本からの資金援助などで、現地で入手しやすい中国製の旋盤を導入。一方、ＡＰＥＸは、田中が研究・実験を行なっていた東北大の関連施設の機械工場技術者らの協力を得て、旋盤などの工作機械を用いた機械工作分野の研修を現地で行なうようになった。

会社員と同時にＮＧＯ活動家

ＡＰＥＸを立ち上げ、会社の業務との両立で忙しい毎日を送っていた田中が編者となり、現代技術史研究会のメンバーらとともに一九八九年五月に出版したのが『転換期の技術者たち――企業内からの提言』（勁草書房）である。

いずれも企業の技術者として十年以上働いてきた執筆陣について、田中は「現代の技術や企業組織が、人間にたいして抑圧的にはたらく側面に比較的敏感であり、そしてそのような負の

田中直

側面をもつ技術や組織に自分自身が手をそめ身をおいていることに多少とも矛盾を感じており、したがって企業の中にあってももっと人間としての自分に忠実に生きるためにはどうすればいいかを模索している」と、本のはしがきで紹介している。

この本は、それぞれの執筆者の経験をもとに、石油、半導体、コンピューター、造船の各分野で現場が抱える問題点やそれを生みだす構造などを解き明かし、自分たちの仕事が社会や環境に与える影響を考慮しながら、それを少しでもいい方向にもっていこうとした技術者たちの軌跡を描いたもので、当初は、その二十年前に出版された『日本の技術者――合理化と近代化の嵐に抗して』（星野芳郎編著、六五ページ参照）の続編的なものとして構想された。

『日本の技術者』は一九六〇年代の高度経済成長期の、企業における人間疎外の状況を提起しました。その後、一九七三年の第一次、七九年の第二次オイルショックなどがあり、人類史的な視野でみると、近代が限界に突きあたったといえると思います。そこで、それまでの進み方とは違う、オルタナティブなものが出てこなければいけないと考えられていたのに、ヘゲモニーを増したのは新自由主義的な流れでした。『転換期の技術者たち』はそうした時代状況のなかで出版したものです」。田中は企画の経緯をこう説明してくれた。

田中自身は石油産業に関する章を担当。石油会社での仕事を概観し、廃プラスチックの再生事業にかかわった経験などから「自分が本当にやりたいこと、社会的に意味のあることで、かつビジネスとしても成立する仕事」を模索し、実現していきたいと述べている。

出版までには約五年にわたり、メンバー同士で討論と研究が行なわれていたが、その間に田中はアジアを歩きはじめ、ＡＰＥＸを発足させている。現技史研での議論にも押され、田中の理想は徐々に具体的なかたちとなっていった。

本の「総括」として田中は「結局問題は、一個の人間として、自分がどんな仕事をなしたいのか、社会の中で自分がどんな役割をはたしたいのか、ということに帰着するのである。そのような自分の仕事をもっている人こそが、組織から自立した存在として本当の意味で自由でありえ、そしてそれだからこそ逆にこれからの組織にも必要とされる存在となりうるのだ」と記している。会社員でありＮＧＯ活動家でもあるという二重生活に対する決意表明だったのかもしれない。

ちなみに「田中直」はペンネームであり、現技史研の会員らは本名ではなく「田中さん」と呼んでいる。

ヤシ繊維でつくった排水処理装置

バイオテクノロジーの研究のために赴任した仙台での約六年間もあいかわらず、休暇をとって年に何度かインドネシアなどを訪問するというスタイルで田中はＡＰＥＸの仕事を続け、その後は大阪勤務となり、石油精製工程から生じる排水の生物学的処理技術の開発に携わった。大阪時代には、ＮＧＯに対する社会的な認識も高まり、社内報でＡＰＥＸの活動を紹介したり、企業人向けのＮＧＯ活動入門講座のポスターを社員食堂に掲示したりできるようになったという。

『転換期の技術者たち――企業内からの提言』勁草書房（1989年）

ＡＰＥＸが東京・ＪＲ鶯谷駅近くに事務所を開設したのは、田中が大阪に転勤した一九九四年。田中の実家がビルを新築することになり、事務所スペースを安価で確保できるようになったために実現したことだった。

大阪では排水中の汚濁物質を削減するため、排水処理システムを高度化する仕事を担当したが、その業務をとおして知ったのが「回転円板式排水処理装置」である。筒を半分に切ったような半円形の槽に排水を流し、そこに流れに向きあう形で円板を設置してゆっくり回すと、円板は槽内の排水とその上部の空気のあいだを交互に出入りする。すると、円板の表面に細菌などからなる多様な微生物層ができる。回転する円板が槽内の排水部分に入ると、その微生物が汚染物質を吸収し、円板が空気中に戻ると酸素を呼吸して増殖しながら汚染物を除去する。これが回転円板による排水処理の仕組みである。

比較的単純な装置で設置費用も低額、壊れても故障箇所が明確にわかり、エネルギー消費も少ない。これを見て田中は、「これはアジアに向いている」と直感的に思ったという。

インドネシアのディアン・デサ財団というNGOが、エイの皮の加工工程で発生する排水の処理に困っていると聞き、その団体に回転円板の利用をもちかけたところ、導入を検討したいとの前向きの返答があり、日本側の技術者らの協力も得て、一九九五年秋には第一号の実験装置が完成した。一般に回転円板はプラスチック製だが、このときは現地で容易に手に入るヤシの繊維を素材として製作した。

回転円板は、田中の勤務先では国の助成を得て規模の大きい実験を進められるようになり、インドネシアのプロジェクトでは日本の外務省からのNGO事業に対する補助金を得られることになった。

インドネシアで製作された回転円板式排水処理装置

環境に負荷をかけながら石油という資源を扱う仕事に疑問を感じる一方で、その仕事で得た知識をNGOの活動をとおしてアジアの人びとのために使うことができた。田中にとってはうれしい経験となった。

現代技術史研究会のコンピューター問題を考えるセミナーをきっかけに発足したAPEX。その現技史研を立ち上げた星野芳郎は、(朝鮮戦争を受けて)平和運動にかかわっていても就職したら軍需関連の工場で働くようになるのではないかと心配する学生たちを、そうした現場に身をおきながらでも平和運動をやるように励ましていたが、みずからの理想からは離れた仕事をしながら、そこでの経験を理想の実現に利用してきた田中は、星野の考えをしなやかに実践していた。

一般的な勤め人の常識からはかなり外れた生き方をしてきた田中にとって、現技史研は、科学技術を批判的にみて、企業社会からも突出している仲間の存在を確認できるネットワークとして、自分自身を支えるもののひとつになっていたという。

一九八七年のＡＰＥＸ設立以来、転勤もしながら「二足のわらじ」で日本とインドネシアを行き来していた田中は一九九九年、二十三年間勤めた会社を辞め、フルタイムでＮＧＯの活動に専念する生活を始める。インドネシアでの排水処理事業などの発展に加え、ＮＧＯの事業を人件費も含めて資金的に支援する公的なスキームができたことなどが背中を押した。

世紀末を迎えたこの年、国内では「国旗・国歌法」が成立し、卒業式など学校行事での日の丸への起立や君が代斉唱を拒否する教職員らの処分につながっていく。九月末には茨城県東海村の核燃料加工会社ＪＣＯで臨界事故が発生、付近の住民に避難勧告が出され、大量被曝した作業員二人が死亡するなど、原子力の安全性に対する人びとの疑念も高まった。

ＡＰＥＸはその後も、インドネシアを中心にバイオマス・エネルギーの開発プロジェクトなどに取り組んでいった。排水処理では、田中が考案し、日本の専門企業の協力で製品化された「立体格子状接触体」を用いた回転円板が技術の要となっていく。従来型の回転円板より三倍から四倍も処理効率が高く、現地生産も可能なことから、日本、インドネシア、中国で導入が進み、これまでに約八百台が稼働。生活排水処理に関しては、その処理人口は百万人を上回るという。

こうして、インドネシアを中心にさまざまなプロジェクトは順調に推移してきたが、新型コロナウイルスの世界的な感染拡大で現場に足を運ぶことができなくなり、海外事業の実施が難しくなったことなどから、ＡＰＥＸは二〇二二年三月、発足から三十五年の歴史に幕を閉じた。

しかし田中は、オンラインで開かれたＡＰＥＸとしては二百回目の、そして最後となるセミナーで晴れやかな表情を見せていた。ＡＰＥＸの活動に終止符は打っても、つぎに取り組むべき課題が具体的にみえていたからだった。

資本家や経営者のみが収益の配分についての決定権をもち、経済成長と利潤の増大を際限なく求めつづける現在のような体制下では、貧困と格差は拡大し、環境や資源は限界につきあたり、働く者も従属的な労働を強いられることになる。こんな問題意識から、田中は最後のセミナーで「ユニバーサル・コープ」と名づけた新たな事業体の構築を提唱した。

「資金のある人は資金を、技術のある人は技術を、事務能力のある人は事務能力を、体力のある人は体力を、と、それぞれの提供できるものを出しあい、その貢献度に応じて、収益の配分決定を含む経営権をもつ」との基本原理にしたがい、選挙で選出された評議委員会が経営権の配分を行なうとの構想だ。

こうした事業体を、まずはインドネシアで立ち上げてみたいと田中は話す。ＡＰＥＸ最後のセミナー参加者らには、計画している取り組みで十年か二十年後にノーベル賞をもらえるかもしれないから、そのときにはまた「皆さんをお招きして、セミナーとパーティーをやりたい」と語りかけた。

第4章

「人間のための科学技術」をめざす

石油精製会社に就職した田中直が大阪勤務を終え、一九八〇年に東京に移って現代技術史研究会の電算機問題分科会の会合に顔を出しはじめたころ、そこで日本無線の松原弘らとともに活動していたのが、当時、日立製作所の中央研究所で半導体などの研究に従事していた猪平進である。猪平は、杉並区の住民基本台帳電算化の反対運動を松原と連携してサポートし、住民と区役所の交渉にも出席するなどしていた。

田中は「東京に異動して現技史研の会合に初めて出かけたときに、猪平さんが神保町の岩波ホールの前まで迎えにきてくれたのを覚えています」と述懐する。そのころ、分科会の幹事だった猪平も「現技史研の事務所に田中さんを案内し、話をしました。学生っぽい人だなという印象だったけど、つきあううちに、とんでもないパワーの持ち主だとわかりました」。そのころ神保町にあった事務所は、現技史研のほか十団体ほどが共同で借りていたものだった。コンピューターによる管理社会化や、合理化などにみられる労働の変容、「三十歳で使いつぶされる」といわれていたソフトウェア技術者をめぐる問題などについて、電算機問題分科会で議論していた時期だった。

猪平はその後、田中の提案で始まったコンピューター問題を考えるゼミナールなどにスタッフとしてかかわり、APEX発足のきっかけとなったタイへの旅行にも参加、初代運営委員として田中への助言などを続けた。一方、みずからの課題として、日本国内の技術や労働の問題と向きあい、その矛盾の解決のために何ができるのかを考えつづけ、日立を退社後は大学教員に転身、アカデミズムの現場から「技術」についての提言を行なってきた。

思想性を大事に——猪平進

猪平は一九四六年三月、長崎市で生まれた。父親は陸軍士官学校を卒業した軍人で、猪平が生まれる前年に原爆が投下されたときには、妻（猪平の母親）をともなって三重県の部隊にいた。「小学校のころには、原爆の影響を受けた同級生たちが原爆傷害調査委員会（ＡＢＣＣ）の健康調査に連れていかれて、お菓子をもらって帰ってくるってこともありました」。

父親は戦後、長崎市役所に勤めたが公職追放により、自分の父親（猪平の祖父）が設立にかかわった当時の長崎相互銀行に入行。「ただ、銀行は好きではなかったようで、出世もせずに一生を終えました」。酒が好きで妻との関係もうまくいかず、家族の生活は貧しかったという。そういう環境で、長男である猪平は「親元を離れてとにかく遠くへ行きたいという、家からの脱出願望はかなり強かった」。

経済的な余裕がなかったため、国立大学を受験し、現役合格した静岡大学に入学した。数学が得意だったことやものづくりが好きだったこと、技術者養成に向けた理工系ブームなどもあり、「自分の適性などは深く考えることもなく」工学部を選択。キャンパスのある浜松市に十八歳でやってきたときには解放感にあふれていたという。電子工学科に進んだのは「エレクトロニクスは難しそうな学問だから、やりがいがあるだろうという程度」の考えだった。学部時代はオーディオ用アンプを自分で製作するなどしていた。

大学には大学院も含め六年間いたが、最初の三年間はワンダーフォーゲル部で「南アルプスや北アルプスの山々を歩きまわって青春を謳歌しました。山で見た星や雲、草花の美しさ、テントの中での仲間との語らいの楽しさは今でも忘れられない」という。

大学院時代は、全国で巻き起こった学園闘争から大きな影響を受けた。静岡大学工学部の闘争は、東大や日大のそれに比べるとまだ穏やかだったというが、各学科で団体交渉を行ない、「教育体制に対する不満や、資本に奉仕する学問・研究に対する異議を教授たちに突きつけた」。闘争にかかわった学生は一方で、「大学に対する批判が、結局は自分にも還ってくるってことを感じていた」という。いずれにせよ「この時期ほど大学が面白かった時代はなかった」と猪平は当時をふり返る。

修士課程では、世界に先駆けてブラウン管受像に成功し「日本のテレビの父」といわれた高柳健次郎（静岡大学名誉教授、元・日本ビクター、一八九九―一九九〇年）の直系の研究室に所属。高品位テレビ用カメラに使われる固体撮像素子をテーマに研究を進めていた。

現代技術史研究会との出会いは大学三年のころ。友人から会誌『技術史研究』を借りて読み、「現場技術者の生の声に触れたことがきっかけ」だった。その後、浜松から上京して参加した総会で、星野芳郎や宇井純らの活発な議論に「地方の一般学生だった自分も強い刺激を受けた」のだという。

工学部の学生として「普通に技術者になろう」と思っていたが、現技史研での議論をとおして、たんに技術者になるのではなく「思想性を大事にし、技術の負の側面にも目を向け、『人間のための科学技術』をめざす」ことが必要だと学んだという。四年生のころには技術論に関する本の読書会を仲間数人で開催、その報告を「現技史研浜松グループ」の名前で『技術史研究』に発表している。

猪平はまた、宇井純の水俣病など公害に関する著作や、星野芳郎が編集した『日本の技術者』にも大きな影響を受け、「企業に対する批判的な視点を抱えながら」一九七〇年、日立製作所に入社。研修期間を経て、第一希望だった都内の中央研究所に配属となり、半導体の研究部で集積回路（IC）メモリーの研究に従事することになった。

八幡製鉄と富士製鉄の合併による新日本製鉄の誕生が大きな経済ニュースとなった年である。同期で入社したなかには学園闘争をくぐりぬけてきた者も何人かいて、仲間内で『資本論』の読書会なども行なっていたという。

ＩＣ研究で企業の実力を痛感

日立での研究内容は、大学院でのそれの延長のようなものだったが、実際にＩＣを設計し、工場で試作したりするなかで、大学と企業では予算の規模もケタ違いで、最新の装置までそろえた企業に大学は太刀打ちできないことを痛感したという。しかし、短期間で入れ替わる上司の考えで研究テーマが変わることもあり、「十年先、二十年先を見すえた研究が必要」と思っていた猪平は、上役と衝突することもあった。

取材のなかで当時の研究環境をふり返りながら猪平は、四国に拠点をおく、日立などに比べれば小規模な会社に勤務していた技術者が青色発光ダイオード（ＬＥＤ）の開発で二〇一四年にノーベル物理学賞を受賞したことを挙げ、「全体的な状況を見て、これは重要だっていうテーマ、大事だっていうものをがまん強く伸ばしていくようなことができないとダメなんじゃないでしょうか」と、長期的なビジョンで研究を進めることの重要性を強調した。

「人や装置をそろえても、ある技術が将来ものになるかどうか、先を予測するのは本当に難しい。ただ、独創的でオリジナリティのあるものを生みだすような研究は、上司に対しても自分の意思を自由に発言できるような、民主主義が貫徹しているところでなければできないと思います。大企業は、管理が過剰なんじゃないかな」

猪平は、現技史研の夏合宿を日本ゼオンの工場があった山口県徳山市（現在は周南市）で行なったさい、そこで勤務していた佐伯康治が職場に会員ら約十人を案内したという逸話が印象に残っているという。そのときのことを佐伯自身は「市内の旅館でひと晩飲んで、会員には工場見学もしてもらいました。本当は人に見せちゃいけないんだけど、全員大学の先生だから大丈夫、なんてごまかして、詳しく案内しましたよ。あれ、違反なんだけどね」と語っている。猪平は「あんなこと、自分のいた会社じゃ考えられない。現技史研で佐伯さんの話を聞いて、（こういうことも）やれるんだなと思いました」。

社内の状況に多少の息苦しさを感じていた猪平にとって、「自由に本音で議論できるのは現代技術史研究会」だった。現技史研の事務所に泊まり込んで活動することもあったという。会社からマイナスの評価を受けることにつながったのかもしれないが、独身寮は二年で飛びだした。「会社での処遇などでつらいことがあって、自分ひとりでは耐えられるかどうかわからないようなときも、現技史研の仲間は支えになりますね。そういう貴重な場だから、ずっと続いてきたんじゃないかと思います。現技史研がなかったら、自分の人生もかなり違ったものになっていたはずです」。

現技史研の世代交代

猪平によると、現技史研では星野の提案により、一九七二年ごろを境に「世代交代」的なものが進んだのだという。「それまでの現技史研は、佐伯さんのような企業技術者もいたけど、井野（博満）さんのような大学関係者や井上（駿）さんのような官庁系の研究者も多かった。七二年ごろからは学園闘争を経験し、（社会問題や労働問題に対して）それなりに意識をもって企業に入った会員も増えてきました」。

このころの世代交代に向けた動きを会報で概観すると、創立以来、約二十年が経過したことから、現技史研も「全く新しい構想と働き手で、新しく出発すべき」だと星野が提案。これをめぐり、会員のなかには唐突感をもつ者もいて、「大げさにいえば会の存亡にかかわるようなことが、悪くいえばナシクズシ的に、十分な『正規の手続』に先行しているように」もみえるといった批判もあった。「現技史研が星野学校でなくなるということなのか」という疑問や「静かなるクーデター」という声も出たが、「会運営の実務面ではすでに転換がはじまりつつ」あり、一九七二年四月の総会では会の体制について「いわゆる若手が運営を担うことが了承された」のだった。

当時の議論について、古くからの会員らに尋ねてみると、「会の運営を若い人たちに譲ったんですよ」という人もいれば、「いや、彼らに押しつけちゃったんだよ」という声もある。

いずれにせよ、こうして猪平ら二十五歳前後の若手が、会誌や会報の編集も含めた事務局を担うようになった。一方、星野は「現技史研の伝統とか成果とか方向とかに関係なく、それらを継承するとか粉砕するとか、のりこえることにかかわりなく、全く自由に、自分たちの流儀で」会を動かしてもらいたい、と若い技術者らを鼓舞し、それ以降は会の運営について考えを口にすることは少なくなっていったという。

新しい世代の会員のなかで、比較的規模の小さい企業の人間は、職場環境の改善や「人間のための科学技術」を実現する方策など、それぞれが直面していた課題を現技史研にもちこみ、他社の人間を交えて話しあった。その議論の内容を自社の労働組合にもち帰るというかたちで、会の活動にかかわっていたのである。一方、大企業に所属する会員は、そこでの組合の多くが「完全に御用組合と化していた」ため、そうした取り組みを自社の仲間内で論ずることもないまま、現技史研を中心に労働環境や業務内容の改善の道を模索していた。

忠誠心での評価を批判

そんななかで猪平は、入社から四年後の一九七四年には『技術史研究』第五四号に、山中博のペンネームで研究所の勤務実態について報告。研究組織の改廃やそれにともなう人事異動が短期間で行なわれるため、ひとつの研究テーマの存続期間がきわめて短く、「系統的にテーマを追究する余裕なく、こまぎれ仕事に追われている」ことを明らかにした。寮の部屋割では大卒か高卒か、あるいは高卒でも昇進が早いかどうかで「個室」か「二人一部屋」かの差がつくような「階層秩序が貫徹して」おり、寮生活については「外来者のチェック、外泊届など、私的生活まで会社の規制下」におく労務管理の一手段ではないのかと疑問を呈した。

勤務時間外の英会話講座などの「自己啓発」は自費でまかなう。従業員の運動会では各職場で動員率が競われ、休日の早朝から家族までまきこんで、競技に血眼になり、応援合戦をくり広げる。「このようにして、多くの人は、労働時間のみならず、余暇時間をも会社共同体の中で生きる。その結果、自分の労働を対象化してとらえる時間を確実に失くし、会社だけがすべての世界となる」と、報告は締めくくられている。

このころ、猪平は研究部門から、他の研究者のプログラムやソフトウェアの作成などを支援する補助部門に配転となった。研究の継続をめぐる上司との衝突に加え、職場集会で労働組合の執行部を批判したことや、独身寮を出たことなどが影響したのではないかと考えているが、もちろん、因果関係は定かではない。「企業では、自分の意思を貫こうとすると孤立する局面があり、仕打ちを受けることもあります。それを覚悟してやっていかなきゃいけないないなと思いました」。

補助的な業務に屈辱感をおぼえたこともあったが、二年後には研究部門に復帰、半導体部門とコンピューター部門を行き来しながら、コンピューター利用設計システム（CAD）の研究に取り組むことになる。

猪平が研究を続けていた一九八二年、米IBMからコンピューターに関する企業秘密を盗みだそうとしたとして、日立製作所や三菱電機の社員ら六人が米連邦捜査局（FBI）に逮捕された事件が世間の耳目を集めた。猪平は他社の仲間とも相談し、事件の背景などについて現場の技術者からも社会に向けて説明したほうがいいと考え、雑誌『技術と人間』（一九八二年八月号）や『週刊エコノミスト』（同年九月十四日号）で覆面座談会を企画、事件を生んだ会社の体質などについて報告、議論した。

『技術と人間』での報告について、立教大学教授の高畠通敏（たかばたけみちとし）（一九三三―二〇〇四年）は朝日新聞の「論壇時評」でこう評した。

「現場技術者たちは、日立が七〇年代のはじめにコンピューターの自主開発努力を放棄しIBM互換〈コンパチ〉路線をとりはじめてから、企業の体質がどのように変質したかを、具体的に語っている。技術者の自由な創意を尊重し研究を地道に育ててゆく雰囲気が消え、業務命令に絶対的に服従する人間だけが出世する体制が作られるなかで、一流の技術者たちが情報買収の組織に編成がえされていったと彼らはいう。そこには、企業のモラルとあり方が連関する本質的な問題が語られている」

猪平自身はこの覆面座談会で、軍隊式の訓練をとりいれた社内の組織への参加が、学歴にかかわりなく出世する近道になっている、などと社内の状況に言及していた。「このときはバレるんじゃないかって感じもあって、報復も覚悟した」が、『技術と人間』の編集長で現代技術史研究会とも深いつながりのあった高橋昇（たかはしのぼる）（一九二六―二〇一二年）からは「日立の本社から、あれはだれなんだって問い合わせがあったけど、適当にゴニョゴニョって言っといたから大丈夫だよ」と耳打ちされたという。

『週刊エコノミスト』の覆面座談会では、所属する日本の企業がＩＢＭとの互換路線をとるなかで技術者はやる気をなくし、組織に対する忠誠心で評価される体制のなかで技術者としての自立すらなくなっている状況が報告された。「日本で企業の技術者が社会的に発言することってめったにないのですが、座談会掲載誌の出版をきっかけに技術者集会を開いたところ、予想以上に多くの人が集まった、なんてこともありました。心の底では『人間のための技術』ってことを考えている技術者って少なくはないんだなと思いました」。

猪平は、田中直が編者となった単行本『転換期の技術者たち』にも、山中博のペンネームで「創造性をつみとる人間管理――半導体研究所の逆説」を執筆した。入社から十数年間の研究所での仕事をふり返りつつ、「必要以上に会社に従属」することが「企業の技術者の不幸の源泉」となっているが、将来的には「会社は、内部に生きる人々の自由度が増す方向に変わらざるを得ないだろう」と指摘。企業技術者も、会社が望む仕事ばかりでなく、「より社会的に有益な方向での仕事を考えることもできるはず」であり、そうした仕事は「企業の中に自閉するのではなく企業を超えた人間関係から、また欧米の人々とだけでなくアジアやアフリカを含む世界の人々との関係から、生まれてくるだろう」と述べている。

猪平進

現技史研では、社会的に有益な技術という視点から、人工知能（AI）が人びとの生活にもたらす影響についても注視してきた。「AIやロボットの組み合わせにより、人間がやってきたかなりの労働を代替できる。ただ、労働が減ったぶん、非正規雇用の人はお払い箱になり、一方で、残った正社員がむちゃくちゃ働かなければいけなくなる。結局、利益を得るのは一部の富裕層、大企業という状況が生じています」。技術革新の成果を一部の人間や組織が横どりするのではなく、社会全体で公平に分配する道を探るべきだと、猪平は現技史研のメンバーらと議論したのだという。

転職した大学にも淘汰の波が

『転換期の技術者たち』の出版から約二年後、猪平は二十一年間勤めた会社を辞め、岐阜経済大学（現在は岐阜協立大学）の教員に転身、情報管理や情報処理などの講義を担当することになった。「企業の技術者として終えるつもりで生きていましたが、仕事の内容より会社への忠実度が優先する状況になじめなかったことや、研究所に新入社員が毎年入ってくるぶん、配置転換されて研究に戻れない可能性もあったことなどが退社の理由でした」。

大学でも、少子化の影響で定員割れするなどして経営が悪化、給与をカットされるなど厳しい局面もあった。大学教育そのものについても憂慮すべき点があることを痛感し、『技術と人

郵便ハガキ

料金受取人払郵便

本郷局承認

5730

差出有効期間
2024年
10月28日まで

1138790

(受取人)
東京都文京区本郷3-4-3-8F
太郎次郎社エディタス行

[読者カード]

●ご購読ありがとうございました。このカードは、小社の今後の刊行計画および新刊等のご案内に役だたせていただきます。 案内を希望しない→□

〒 ☎

ご住所

お名前

E-mail 歳

ご職業(勤務先・在学校名など)

ご購読の新聞	ご購読の雑誌

本書をお買い求めの書店	よくご利用になる書店
市区町村 書店	市区町村 書店

お寄せいただいた情報は、個人情報保護法に則り、弊社が責任を持って管理します

書名 [ ]

●—この本について、あなたのご意見、ご感想を。

お寄せいただいたご意見・ご感想を当社のウェブサイトなどに、一部掲載させていただいてよろしいでしょうか？ （ 可 匿名で可 不可 ）

この本をお求めになったきっかけは？

●広告を見て ●書店で見て ●ウェブサイトを見て

●書評を見て ●DMを見て ●その他 よろしければ誌名、店名をお知らせください。

☆小社の出版案内を送りたい友人・知人をご紹介ください。

ふりがな
おなまえ

ご住所

〒

間』の二〇〇一年一・二月合併号に「淘汰の波に襲われる大学」を寄稿。このなかで、二〇〇〇年春の入試で全国の私立大学の四六パーセントが実質倍率一倍台、つまり、私大の半数近くは受験さえすれば合格する状況にあり、高校でほとんど勉強することなく入学してくる学生に対し、どのような教育をするかが大きな問題になりつつあることを明らかにした。講義中に居眠りをしたり、他の学生とのつきあいを面倒と感じたりする学生が散見され、教員の側も、授業の内容や質、学生に対する指導などは評価のさいに重視されないことから、教育面では手抜きをしても研究業績をアピールしようとする傾向が強くなる。こうした状況をふまえ、「この環境の激変に対し、大学全体としてまとまり責任をもった方針を打ち出し、学生の方を向いた根本的な教育課程の変革に成功する大学のみが、淘汰の波を越え生き残れるときがすぐそこにきている」と提言せざるをえなかった。

一方で、大学に移って役に立ったのは、会社員時代から東京・立川での中国語の勉強会に参加していたことだった。中国語をやっていたおかげで、大学で増えてきた中国からの留学生らと調査・研究する機会もできた。「私は天邪鬼(あまのじゃく)で、中国語を勉強したのは、英語を勉強しろって会社から言われたことに対する反発もあったのですが、大学に転職して、それが思いがけなく活きることになりました」。

数十年にわたって現技史研の運営を担ってきた猪平は、会の先輩からの忘れられない言葉があるという。「思想の地下茎になれ」。表面的にはめだたなくても、地下に張りめぐらした茎は養分を吸いとって蓄えている。そんな茎のように生きていけとのアドバイスだった。会社や大学など「自分がいる場所で闘うのは本当に難しいことですが、この言葉は、企業の中で過酷な状況と向き合わなければならないようなときなどに自分を支えてくれました」。

理工学部からジャーナリストに——天笠啓祐

猪平進が参加した覆面座談会を掲載した『技術と人間』は、現代技術史研究会と持ちつ持たれつの関係で三十三年にわたり発行を続けた雑誌である。コンピューターや生命科学、原子力など現代の技術にからむ問題と人間との関係をいかに読み解くべきかを、世の中に問いつづけてきた。編集の中心となっていたのは、編集長の高橋昇と、現在はフリーのジャーナリストとして遺伝子組み換え食品などの問題を追究する元編集者の天笠啓祐（あまがさけいすけ）だ。天笠は現代技術史研究会のメンバーでもあり、日本消費者連盟の顧問も務めている。

天笠は早稲田大学理工学部を卒業するさい、「人間とは何かという大きなテーマを追究してみたかった」ことから、ジャーナリズムの世界で仕事をすることを目指した。一度は製薬会社に入って営業を担当したものの、間もなく理工系の書籍を出版する「アグネ」に転職し、そこで技術雑誌『金属』の編集を担当していた高橋昇と出会う。

高橋は星野芳郎らとともに現代技術史研究会の設立にも関わり、東大生産技術研究所の助手を経てアグネに入社。当時は、科学技術と人間とはいかにかかわるべきか、また、社会を変えていくため技術者には何ができるかを考えようと新しい雑誌の創刊を準備中で、ともに働く編集者を探していた。学生時代に、自分で雑誌をつくってみたいと考えていた天笠は高橋の面接を受け「一発で採用されました。その最大の理由は、私が大学で学生自治会の委員長をやっていたことだったそうです」。

天笠は一九四七年二月生まれの団塊の世代。化学系の技術者だった父親と母親は終戦後、中国から引き揚げて神奈川県藤沢市に移る。敗戦時の混乱を目の当たりにしていた母親から「技術者になれば戦争に行かなくてもいい」と聞かされていたため、理工学部に進んだが、「入学した瞬間に、道を誤ったなと思いました。なにしろ、全然、興味とか関心とかを持てないんですよ、理工学部の学問に」。子どものころは歴史と地理が好きで地図帳をつねに持ち歩き、高校時代は世界文学全集を読破するなど「ほとんど文系の生徒」で、人間そのものに興味があったという天笠にとって、そこでの講義は「無味乾燥」に思えた。

政治学、経済学の関連書籍や哲学書を図書館で読みふけりつつ、学生運動に明け暮れていた学生時代を「当時の大学のキャンパスには人間にとって本質的な何か、人間として生きていくうえで本当に重要な何かがないな、ということをすごく感じていて、ほかの学生にも『講義には出席するな』と呼びかけていました。私自身、専門の必修科目で『優』ってひとつもないんですよ。ひどいもんでしょう?」と、東京・西早稲田にある消費者連盟の事務所での取材でユーモアを交えながらふり返った。

そんな経歴もあって、高橋と新雑誌『技術と人間』の編集に携わることになり、天笠のジャーナリストとしての人生がスタートする。

「超低空飛行」の雑誌とともに

『技術と人間』は一九七二年四月に季刊誌として発行が始まり、創刊号の巻頭を飾ったのは星野芳郎の「瀬戸内海にみる自然と人間の破壊」だった。国土利用や社会資本整備を方向づける「全国総合開発計画」が最初に策定された一九六〇年代に、瀬戸内海地域には製鉄所や精錬所、製油所などがつぎつぎに建設されたが、そこでは大量の廃棄物による環境汚染が深刻化していた。星野の論稿は、この問題についての現地調査の報告である。宇井純がその二年前に東大で始めた自主講座「公害原論」が多くの聴講生を集めるなど、環境・公害問題に対する関心が高まっていたころだった。第一号は一万部以上を売り上げて好調なすべりだしとなり、七四年四月以降は、季刊から月刊となる。公害問題を扱った有吉佐和子（一九三一―一九八四年）の『複合汚染』の連載が朝日新聞で始まり、大きな反響を呼んだのもこの年のことである。

新雑誌の出版元は広告収入で採算をとる方針だったというが、星野の論稿にみられるように、企業活動を「告発」するような記事が多く並んだことで広告掲載を見送る企業が次第に増え、まもなく雑誌は存亡の危機に瀕した。そこで高橋と天笠は、赤字の雑誌を抱えて出版元から独立することを決め、新たに「株式会社　技術と人間」を設立、おもに書籍広告などに頼りながら発行を継続することになった。一九七四年十月号の最終ページで、次号からは雑誌についてのいっさいの権利をアグネから引き継いだ新会社が発行することや、基本的な編集方針に変わりはないことを告知している。

翌十一月号のあとがきでは高橋が、新会社の事務所は「飯田橋から目白へぬける幹線道路に面した木造モルタル二階建の二階」と紹介し、近くで行なわれている地下鉄工事のため、鉄板が敷かれた道路をトラックなどがひっきりなしに行き交い、「自動車というものが、これほど、すさまじい騒音と振動の発生源であるとは……自動車公害のおそろしさを身に沁みて感じているこのごろです」と書いている。

新会社は高橋と天笠を軸に、雑誌と書籍の編集、営業、資金調達をわずか数人でこなす小さな組織。雑誌編集の基本方針として、企業寄りの記事はやめ、現場の技術者が何を考え、実際にどういう仕事をし、何を問題ととらえているのかを社会に向けて発信する場を提供しようとしていた。その結果、技術者による内部告発的な記事が多く掲載されるようになった。「主要な著者の多くが技術者、しかも現代技術史研究会のメンバーで、彼らがペンネームを使って『技術と人間』をつくってくれるようになりました」と天笠は言う。

雑誌と現技史研はたがいになくてはならない関係となり、編集に携わるなかで天笠は、現技史研の中心メンバーとも親しくなる。自分自身も「記憶にないが、いつのまにか」入会していたのだった。「僕自身は理工学部出身なのに技術者でもなく、現技史研の会員だっていうのは、ちょっと恥ずかしいものがありますね」。

『技術と人間』は終刊となる二〇〇五年八・九月合併号まで発行を続けたが、高橋はのちに「いつ墜落してもおかしくない超低空飛行」状態だった、と述懐している。毎号の販売数は約三千部で、高橋は「技術を批判的にとらえる人の数は、日本ではこのくらいなのかなと思う」と、ある集会で語っている。

問いつづけた『技術と人間』

『技術と人間』の創刊を前に、高橋と天笠は、現代技術史研究会と設立のころから関係のあった理論物理学者の武谷三男（一九一一―二〇〇〇年）を訪ね、雑誌がとりあげるべきテーマなどについて意見を求めたことがあった。武谷は哲学者の鶴見俊輔（一九二二―二〇一五年）や政治学者の丸山真男（一九一四―一九九六年）らとともに、市民運動やサブカルチャーなど幅広い分野の記事を掲載した雑誌『思想の科学』の創刊（一九四六年）にかかわったほか、戦後の技術者運動にも大きな影響を与えた論客で、星野芳郎は武谷を師と仰いでいたという。

高橋と天笠の問いかけに対する武谷の答えは、「これから大きな問題となる原発をやるべきだ。あんなに危険な技術はないのだから」だった。これを受け、雑誌は原発問題を積極的にとりあげることになり、次第に、全国の脱原発運動の拠点のような存在にもなっていく。

原発以外にも、ふたりの編集者が注目していた公害を含めた環境問題や、コンピューターや遺伝子工学の発展が人間と社会におよぼす影響などが、『技術と人間』が報じる主要なテーマとなっていった。高橋は一九六〇年代初め、宇井純らとともに現技史研のなかに公害についての研究会を立ち上げ、当時、編集にかかわっていた会誌では、宇井による富田八郎名での水俣病報告に、スペースの制限なしに誌面を提供するほどこの問題に入れ込んでいた。一方、天笠は、遺伝子工学の手法により、遺伝子を人為的に操作してつくり出した遺伝子組み換え作物に大きな関心をもっていた。

遺伝子組み換え作物は、特定の除草剤をまいても枯れない耐性や、害虫や乾燥への抵抗性をもち、生産効率を上げられる一方で、長期的に摂取した場合の健康や生態系への影響も懸念されている。

天笠は、これが大きな問題となっていた欧州に、知り合いの市民団体のメンバーらを取材のために派遣し、その報告に紙面を提供するなどした。「貧しい出版社でお金は出せなかったので、カンパを集めての派遣でした」。一方で、日本消費者連盟の食品問題の担当者にも、遺伝子組み換え作物が食品となって出回るようになるかもしれないと訴えて取り組みを要請、二つ返事で受け入れられた。これがきっかけで天笠はその後、連盟の運動にもかかわるようになる。

こうしたテーマについて、当時の主要メディアはほとんど目を向けていなかった。『技術と人間』が社会に対して問題を提起し、それを読んだ大手メディアの記者があとを追うかたちで取材に走ることもあったという。「私たちは、彼らが私たちの雑誌から『ネタを拾っている』っていう言い方をしていましたね」。

遺伝子工学やコンピューターなどの新しい技術の発展について天笠は、それが良いとか悪いとかいうよりも、「人間でいえばその心、社会でいえば民主主義に、どういう影響をもたらしているかを見ていかなければいけない」と考えているという。「遺伝子組み換え実験が成功したころは、多くの人が神の領域を侵犯する行為だと指摘しましたが、いまや（親から子に伝わる遺伝情報で『生命の設計図』と呼ばれる）ゲノムを読み解き操作することができる時代です。もはや、神の領域を侵してはいけない、なんていうレベルじゃなくなっているのです」。

生物のゲノムを効率的に改変できる「ゲノム編集」の新手法を開発した研究者ふたりが二〇二〇年のノーベル化学賞を受賞するなど、医療分野などでは必要な技術とされているが、一方で、親が望む容姿や体質、能力をもつ「デザイナーベビー」の誕生につながりかねないなど倫理的な問題もあり、規制に向けた議論も行なわれている。

コンピューター問題を考えてみても、現代技術史研究会の松原弘らは東京・杉並区での住民基本台帳の電算化に対し、「管理社会に道を開く国民総背番号制」につながると反対運動を支援していたが、いまや国内に住民票を持つ全ての人に十二桁の番号がわりあてられ、マイナンバーカードも発行されるようになった。天笠は「一九七〇年代は国民総背番号制に反対するのは当たりまえだったのに、そ

現技史研電算機部会編による『技術と人間』増刊号（1982年）

れがもうできちゃいましたからね」とあきれたように話した。

ある技術の発達は、もしかしたら、ある問題の解決につながるのかもしれない。たとえば、農薬の使用は農家を重労働から解放する面はあるだろう。一方で、農業に携わる人や、農薬を使用してつくられた食品を食べる消費者の健康に影響をおよぼす可能性も否定できない。「ある技術が、新たな問題をつくり出すことは少なくはない。技術により救われる側面だけを見て良い悪いを判断するのは、ひじょうに危険なことだと思っています。その背後で、もっとひどいことが起きているんじゃないかと考えたほうがいい」。

ジャーナリズムの世界に目を転じると、「ジャーナリストはいろいろなところに自分の足で出かけて取材し、書くというのが基本のはずなのに、いまのジャーナリストは全体を見ることなしに、パソコン上だけの狭い世界で仕事をしている感じがします。さまざまなことが便利になり、労働が細分化・単調化していると思います」。現代技術史研究会の電算機問題分科会は一九八二年に、コンピューターが職場を侵食して労働の意味は「風化し解体していく」と予測していたが、それが報道の現場でも現実となりつつあるのかもしれない。

携帯、スマホを拒絶

天笠によると、ともに『技術と人間』の編集にあたっていた高橋昇は「携帯電話とコンピューターは人間をおかしくする敵だ」と考えていたという。同誌で高橋が執筆していた「ある発言」と題するコラムは一九九四年六月号で、電車に乗っても喫茶店でお茶を飲んでいても携帯電話で話をしている人びとに触れ、「なんでこれほどまで〝多忙〟でなければならないのだろうか」と疑問を投げかけた。呼び出し用のポケットベルにも「ヒモでつながれるサラリーマンの悲哀」があったが、ポケベルなら応答しないで放っておくこともできる。しかし「携帯電話ではそうはいかない」。携帯電話は「社会的な存在としての〝人間〟」を数十年前とはべつのものに変えてしまったし、「現代技術の恐ろしさがここにある」と結んでいる。

コンピューターについては一九九五年四月号で、現代の日本は「金儲け万能、コンピューター万能の効率とスピードを追い求める社会」となってしまい、そこに生きる人びとは「人間の感性とか矛盾したものを統合して考える能力を失ってゆく」のであり、「人間は道具をつくる動物だが、道具もまた〝人間〟をつくるのである」と書いた。天笠自身も、電子メールのやりとりでパソコンは使わざるをえないが、スマートフォンや携帯電話は持たず、これからも持つつもりはない、と言う。電話連絡は固定電話で行なっている。

技術の進歩を否定するともとられかねないふたりの主張について、ある現技史研の会員は「新しい技術が開発されて、それがいいのか悪いのかはすぐにはわからない。ただ、人間の存在そのものを変えてしまう可能性がある、ということに対する高橋さんと天笠さんの懸念は、多くの会員が共有していると思いますよ」と話した。

現技史研の発足当初からの会員、井上駿も、高橋らのスタンスについて「世の中がもてはやせばもてはやすほど、どこか怪しいのではないかと考えて、しようがないからこちらが一生懸命足を引っぱる、ってことじゃないですかね」と同調する。私が「天邪鬼みたいですね」と茶化すと、「いや、足を引っぱることでバランスをとろうとしているわけですから、やじろべえですね」と笑った。

これに対し、ソニーで携帯電話やデジタル機器の開発に携わった松原弘は、「道具とともに進化してきた人類の歴史」を考えると、スマートフォンやパソコンについても「嫌だと言うだけではすまない時代」になっている、と指摘する。一方で、携帯電話をつくったときには「緊急のさいもすぐに連絡ができる便利なものができた」と喜んだものの、中学生・高校生までが手放さなくなってしまったことは「想定外」だった。私の取材に対しては「当時の同僚と、変なもの開発しちゃったなぁとため息をつきました。子どもが使うようなものじゃないですよ」とも話した。「携帯、スマホがなければつながれないような友人なんて、自分ならいらないと思うだろうし、そういう意味で『人間疎外』ってどういうことなのか、もう一度考えてみなければいけないと思います」。

松原と高橋には、駅で自動改札を通らないという共通点があった。「駅員さんのいない改札に切符や定期を通して扉が前に向けて開くと、こちらが人間扱いされていないような気になるんですよ。高橋さんとふたりでほかの現技史研のメンバーに、『なぜ自動改札を通るんだ？』と言っていました」。

天笠啓祐

高橋は二〇一二年八月、八十六歳で死去。天笠には生前、自分に万が一のことがあれば葬式のようなことはいっさいやらず、酒を飲んで騒いでくれと伝えていた。三か月後に開かれた偲ぶ会で天笠は「献杯など形式ばったことは一応たててはいるが、ぜひ気にせずどんちゃん騒ぎで楽しんでもらいたい」と出席者に呼びかけたのだった。

会に参加した佐伯康治は、廃プラスチックの処理システムなどに関する現技史研での議論を横で聞いていた高橋から「おまえらも（雑誌に原稿を）書けよ！」と誘われたことや、書いてからいっしょに酒を飲んでいると「これが原稿料な！」と言われたことなどを明かした。「私の原稿のほとんどは廃棄物問題が主でしたが、当時の『公害』と言っていたものが、一九九〇年ごろから、温暖化を中心として『環境問題』と言われるようになって、一般化された薄い概念となり、『公害』と言っていたときの人間としての原罪的な意識がなくなってしまったような気がしています」と、高橋との思い出をふり返りながら参加者らに語った。

天笠自身は高橋が死去する約十年前の一九九三年、『技術と人間』の編集から離れ、フリーのジャーナリストとして独立していた。市民団体「遺伝子組み換え食品いらない！キャンペーン」の代表も務めながら、食の安全などについての記事や書籍を発表している。

天笠にとって衝撃的だったのは、二〇〇一年九月、国内で初めてBSE（牛海綿状脳症）に感染した牛が確認されたことだった。搾乳量が増えるなどとして草食性の牛に肉骨粉を与えていたことについて、「経済重視、市場重視でやっていくと、こういうことが起きる。生産効率至上主義が問われた事件だと思います。BSEは食の安全性に対する考え方を、世界中で大きく変えましたよね」と厳しく批判している。

遺伝子操作で肉付きのいい魚などをつくる技術についても警鐘を鳴らしてきた。「普通に成長している魚でいいはずなのに、なぜ大きくて異常な形にしなくちゃいけないんだっていう疑問が出発点です。こういうことをやっていると、かならずどこかでツケがくるんですよ」。

技術の全体像と将来図をもちよって

現代技術史研究会は二〇〇五年から、核エネルギーや情報処理などさまざまな技術部門について、それが社会に役立っているのか否かを問い、近未来に向けてあるべき方向性を提示しようという試みを始めていた。星野芳郎の提案で『日本の技術者』の執筆にかかわったメンバーらが中心となり、若手の会員らにも呼びかけて研究会を開催し、新しい本の出版をめざしていた。

星野は二〇〇七年に亡くなるが、現技史研の研究と議論は続き、その集大成として二〇一〇年十月に出版されたのが『徹底検証　21世紀の全技術』（藤原書店）である。「現代技術史研究会編」として現技史研の会員二十数名が執筆を分担、井野博満と佐伯康治が編者となっている。

井野は序章などで、化石燃料と材料資源の大量投入を前提とした現代技術は多くの分野で著しい発展をとげたものの、自然環境や人びとの伝統的生活と文化の破壊、貧困と格差の拡大を生みだし、近い将来に資源が枯渇する恐れももたらしたと指摘。さらに、核エネルギーや遺伝子操作、コンピューターなどの技術は人間のコントロールを超え、社会や人間に与える影響は予測不可能だとの認識を示したうえで、いまなすべきことは「個々の技術のもつ矛盾・問題点を詳しく分析し、さらにそれら技術と人間・社会との関係において生じる問題の諸様相を総合的・体系的に解明」することだと、この本を編集した目的を述べている。

こうした問題意識にもとづき、井上駿は農水省での研究経験をもとに「食の安全」などを担当した。食品添加物や食品表示の問題などについて解説する一方で、食の生産現場である農家が、農業機械や化学肥料、農薬など、使いこなすのが難しい農業技術に翻弄されている状況を明らかにし、「このような状況のなかでは、生産者は生産の、また、技術の本当の主人公といえるだろうか」と疑問を提示。「食と農の技術は生産者ばかりでなく、生活者、消費者にとっても遠いものとなり、ただ技術の結果としての生産物を選択の余地少なく食べさせられているのが全般的な状況である」として、有機農業・自然農法の拡大や、地産地消などと表現される生産者と消費者の相互交流の深化のなかで農業を発展させていくことの重要性を強調した。

編者のひとりの佐伯は、プラスチックの開発の歴史や、その特徴、用途などを紹介。プラスチックは木材や金属に比べ低コストでの成形加工が可能で、強靱性・耐久性に優れていることから、日用雑貨から自動車部品、土木基礎材など多くの場面で用いられており、人口の多い開発途上国でも経済発展にともない需要が急速に拡大してきたが、それにより、原料である石油

本の出版に向け合宿を行なう現技史研メンバー（2005年ごろ）

の消費増大と価格上昇、さらには、石油資源の枯渇をもたらしているとの問題点も列挙した。また、プラスチックは使い捨て製品など短寿命製品として使われることが多いため、ごみ処理など環境への負荷が問題となっており、プラスチック廃棄物のリサイクルが社会的な課題となっているものの、プラスチックには多くの種類があり、それぞれの性質も異なることからリサイクルにも限界があることを明らかにしている。

「廃棄物問題はリサイクルでは解決しない」という章では、現在の大量生産・大量消費のシステムを維持したまま、資源や環境の問題をリサイクルによって解決するのは基本的に不可能だと述べ、少量生産、長寿命製品化への転換を呼びかけた。技術者・企業経営者としての数十年にわたるキャリアのなかで、一貫して大量生産・大量消費を批判してきた姿勢は、ここでも変わらなかった。

日立製作所から大学教員に転身していた猪平進は、家電製品や半導体に関する章を担当した。日本の多くの家庭では、テレビやエアコンは各部屋ごとに設置され、携帯電話は一人一台のパーソナル化（個別化）が進んでおり、とくに携帯電話やパソコンはメーカーの製品サイクルの短縮戦略を反映し、故障もしていないのに三〜五年程度で買い替えられている状況を紹介。「製品の陳腐化・短命化は、使い済み家電製品の大量廃棄を頻繁に発生させることになる」と問題点を明らかにしたうえで、家電製品の製造から修理、廃棄までをメーカーが責任を負う仕組みをつくれば、「設計段階から環境を考慮して、リユース、リペア、リサイクルのしやすい製品を作るようになり……たいして意味のない改良や機能追加などの頻繁なモデルチェンジは避けられるであろう」と提案した。

さらに、メーカーには長寿命製品の開発と、交換部品を用意するなどで消費者が二十年は使えるような修理システムの構築を求める一方、消費者には冷暖房の設定温度を少し上げ下げしたり、洗濯物は乾燥機ではなく日光で乾かしたりと、家電製品の利用をできるだけ抑え、若干の不便はがまんしてエネルギーの無駄をなくすようにうながした。

半導体に関する論稿では、半導体の製造工程では大量の水を消費するほか、ヒ素やリン、さまざまな有機溶剤などの有害物質を使用しているが、どのプロセスでどのような廃棄物や毒物が排出されているのかは、ほとんど明らかになっていないと指摘。日本ゼオンで佐伯らが化学工場の環境汚染防止策として提唱した「ネガティブ・フローシート」作成と「クローズド・システム」の導入を求めた。

ネガティブ・フローシートをもとに、製造工程での「有害な廃棄物をチェック、できるだけそれらを排出しないよう、材料の変更、設備や処理の改良、あるいは再循環・再利用を行って、廃棄物をプロセスへ内包化する、または廃棄物を出さないようなプロセスへ転換する」のがクローズド・システム化の手法であり、「従来のフローでは影の存在であった廃棄物を中心に製造プロセスを見直していくという技術思想の大きな転換」であると説明。これは半導体製造の環境汚染防止技術を考えるうえでも重要なヒントとなるし、「このような方向こそがこれからの半導体技術者に求められる」と期待を示した。

『徹底検証　21世紀の全技術』藤原書店（2010年）

出版から約十年後の取材で猪平は、ネガティブ・フローシートは佐伯ら現技史研の化学分野の技術者や研究者が議論していたことだったが、「廃棄物に焦点を当てて、製造プロセスのなかで、空気中には何が出て、排水には何が含まれていて、固形の廃棄物は何か、っていうことを洗いだしていく作業は環境汚染に対応するうえですごく重要で、それは半導体製造でも同じだと考えて、自分の論稿で引用しました」と話している。

終章で井野は、企業などの現場で技術者として働いてきた執筆陣の論稿をまとめるかたちで「ありていに言えば、いらない技術や物が多すぎる」と大胆に主張し、「不必要なものを作り続けて、そのために皆いそがしくしている。かと思えば、機械に仕事をさせて、人が余ってしまい仕事がないという。そういう風にしないと経済がもたないのだという」と皮肉った。そうした社会を転換するためには「人と人との関係や人と自然との関係を良くする」ことや「人の能力を生かし住み良い社会を作り出す」ことが必要だとし、それに向けた技術のあり方を実現しなければならないと呼びかけた。

『日本の技術者』で明らかにされた合理化や環境破壊などの問題は、解決に向かうどころか深刻の度合いを増していることを、その約四十年後に現技史研の会員らは明らかにしたのである。

出版に向けた研究会の開始から、その成果が世に出るまでの五年間に、国内では郵政民営化法の成立（二〇〇五年十月）により、郵便・郵貯・簡保が持ち株会社の下の子会社となった。米証券大手リーマン・ブラザーズの経営破綻に端を発した世界的な経済危機「リーマン・ショック」が起きたのは、出版準備が続いていた二〇〇八年九月。翌年八月の衆議院選挙では民主党が大勝して政権交代が実現し、鳩山由紀夫内閣が発足した。二〇一〇年には年明け早々、世界的な不況による業績悪化に直面した航空大手の日本航空が会社更生法の適用を申請して経営破綻。その年の三月三十一日には自治体の基盤強化を目的とした「平成の大合併」が終結し、市町村数が半減した。

第5章

原子力と向きあう

『徹底検証　21世紀の全技術』は、現技史研が発足のころから向きあってきた原子力発電についても、さまざまな側面から検証した。たとえば、高レベル放射性廃棄物は「ガラス固化体」の形状で地下深くに埋めて処分するとしていることについて、これが「数千年あるいはそれ以上の長い間、安定性を保ち放射能が漏れでないという技術的保証はまったくない」と、そうした処理方法に疑問を呈した。また、原子力発電所内部の工事や保守作業、あるいは廃炉にするさいの解体作業が必然的に被曝をともなうことなどを挙げ、原発は「社会的に受容することができない技術であるというのがわれわれの結論」であり、「放射性物質を完全に生態系・人間社会から隔離できると考えることは、技術の限界を理解しない幻想である」と痛烈に批判したうえで、原発に依存するエネルギー政策の転換を求めた。

東日本大震災が起き、福島第一原子力発電所がメルトダウンするのは、この本の出版から四か月半後のことである。

震災、原発事故への思い

震災と原発事故の発生を受け、現技史研は「いま起きている事態をとらえるための、手がかり」とするため、会員の「生の声」を集めた特集を会誌『技術史研究』で組むとして、日々何を考え、どう過ごしているかについて寄稿するよう呼びかけた。「短期的な復興の処方箋としては役に立たないかもしれませんが、戦後科学・技術の辿（たど）ってきた来し方を『個』から問い直し、明日以降の『現代技術』に必要な要件を問うために、出発点を共有」したいと要請文に記している。

それに応えて井野博満は、原発事故についての論稿を寄せた。そのなかで、二〇〇四年十二月にインドネシア・スマトラ島沖で起きたマグニチュード（M）9・1の地震とそれにともなう津波で二十二万人超が死亡・行方不明となったことや、二〇〇七年七月の新潟県中越沖地震で柏崎刈羽原発が想定をはるかに超える揺れに見舞われ、屋外変圧器で火災が起きたり微量の放射性物質を含む水が海に流出した事例などを挙げ、福島第一原発の事故は「『想定外』などと言えるものではない」と批判。「原発事故で当事者が『想定外』を連発するのは『予測できなかった』（ことが起きたのだから許してくれ）と言って責任逃れをしている」と、原発を推進してきた側を厳しく追及した。

さらに、福島の事故は原発の安全審査の虚構をさらけ出したとし、産官学の利益共同体による安全審査から、市民が参加しての安全審査へと変えていく必要性を強調。「市民の側としてはそれを担える人をどう育てられるかが課題となる」と結んだ。『技術史研究』の東日本大震災特集号が発刊されたのは、二〇一一年十一月。井野のほかにも多くの会員が、自分の暮らす地域の被災状況などを報告した。ある企業技術者は、原発推進派は実現不可能な「絶対安全」という主張に固執してきたことで、ものを考える取っかかりや正常な価値判断をするための規範を失い、反対派と話し合う回路をみずから絶ってきたと指摘した。

農水省の研究者だった井上駿は、原発事故直後に農産物の安全性についてテレビのキー局から取材を受けたことを紹介。最終的にこのインタビューは放映されなかったのだが、それは、農産物は安全だという農家を擁護するような発言をテレビ局は期待していたにもかかわらず、井上が「きちんとした調査をしていない今の段階で安全ということはできない」と答えたことが理由とみられ、大手メディアの腰砕けのような状況下で、みずからは「ミニコミとも言えないくらい小さい刊行物」を舞台に原発批判を展開していると記している。

元日本ゼオンの佐伯康治は、化学プラントで公害防止に取り組んだ体験から原発事故を検証。原発の安全対策として電源の多様化や冷却設備の多層化などを進めても、地震による配管の溶接部の破損、原子炉との接続部の破損が起きないと保証することは不可能だとして、原発は「無責任」な「袋小路」の技術と切って捨てた。そのうえで、日本は福島事故が起きた時点での三分の二のエネルギーで生きていくという覚悟が必要で、現代技術史研究会に集まる技術者には、そのための技術の再構築に力を尽くすよう呼びかけた。三分の二というのは一九八〇年代半ばまでのエネルギー消費量であり、「当時も物質的豊かさは十分享受していた」のだから実現不可能なことではないと訴えた。

母の足跡をなぞる――坂田雅子

福島の原発事故をきっかけに新たな仕事に取り組んだのが、現代技術史研究会の数少ない女性会員のひとりでドキュメンタリー映画監督の坂田雅子（さかたまさこ）である。坂田は技術者としてではなくジャーナリストとして現代技術をめぐる問題に関心を寄せ、ベトナム戦争での米国による枯葉剤使用がもたらした被害を伝える作品を発表してきたが、福島の事故後は、核実験などによる被害者を世界各地に訪ねたり、原発停止を決めたドイツで再生可能エネルギー導入の可能性を探るなどして、未来に向けた科学技術のあり方を映画によって社会に提示した。

坂田の取材活動に大きな影響を与えたのは、母の静子である。静子は、現技史研会員の井上駿の実姉でもある。静子は長野県須坂市で夫と薬局を経営していたが、英国人と結婚して英仏海峡のガンジー島で暮らしていた長女、悠子に重い障害をもつ子どもが生まれ、数時間で亡くなったことがきっかけで、その生活は大きく変わる。

ガンジー島の対岸、フランスのラ・アーグに原発の使用済み核燃料の再処理工場があり、海産物から高濃度の放射線が検出されたり、牛乳が汚染されたりするなど、周辺の環境に大きな影響が出ていることを悠子からの手紙で知らされた。再処理工場では、日本からの使用済み核燃料を引き受けるための拡張工事も行なわれているという。

環境汚染と孫の死との因果関係は明らかではなかったものの、いても立ってもいられなくなった静子は、原子力問題の研究者らに連絡をとって資料を入手したり、東京での脱原発集会に参加したりして情報を集め、原発は安全な施設ではないと認識する。それを周りの人びとと共有しようと、公民館の輪転機で『聞いてください』と題するわら半紙一枚のチラシを百枚刷り、街頭で「お時間があれば私の話を聞いていただけませんか」と、通行人に話しかけながら配りはじめたのだった。一九七七年五月のことである。

第一号のチラシでは、原発が生みだす放射性廃棄物の処理について明確な方針が示されていないことに触れ、「より快適な生活のために、もっとエネルギーを、原子力発電を、と言ってこれ以上毒物を作り続け、その後始末を子孫に押しつけることは、とんでもない犯罪ではないでしょうか」と訴えた。

一方、二女の雅子はかならずしも、母の脱原発運動を理解し支持していたわけではなかった。「専門家たちが十分にチェックして大丈夫だって言っているんだからと、彼らの言いぶんを信じていた」のだという。

原子力発電所などない長野県の静かな町に帰省するたびに、母の本棚は原発関連の資料や書籍で埋まっていった。たまには甘えたいと思っても、それまで自分たち家族のためにそこにいてくれた母は、「ちょっと用事があるのよ」と出かけていく。そんな静子が「自分のものでなくなったような気持ちになっていた」ことも、その運動をそのまま受け入れられなかった理由のひとつだったのかもしれない。

ところが、福島で大きな原発事故が起き、「母はこうなることを予見していたんだ」とはっとして、群馬県みなかみ町の自宅で手にしたのが、静子が一九九八年に七十四歳で亡くなったあとに家族でチラシをまとめてつくった『聞いてください　反原子力発電のメッセージ』と題する本だった。

母が残したメッセージに背中を押されるようにして、雅子も、いても立ってもいられない気持ちでハンドルを握り、ビデオカメラを持って、みなかみから福島に向かった。

ベトナム帰還兵との暮らし

一九四八年に生まれた坂田は、テレビで見た米国のホームドラマ『パパは何でも知っている』で「家に大きな電化製品が並ぶような豊かさ」に驚き、高校三年だった一九六五年から六六年まで、国際ボランティア団体ＡＦＳの交換留学生として、米国北東部メーン州カムデンの銀行家宅で暮らした。人口数千人の小さな町で、ホスト・ファミリーは両親と娘ふたりのごく普通の中流家庭だった。

当時の米国は、ベトナム戦争や、アフリカ系米国人などマイノリティの人権保障を求める公民権運動で揺れていたが、坂田の周りではこうした問題は「話題にもならなかった」。

帰国後の一九六七年、京都大学に入学し哲学を専攻。学生運動が盛んな時期だったが、自分が「洗脳」されるような疑念を感じて、運動からは距離をおいていた。このときから半世紀以上を経てひさびさの同窓会に出席した坂田は、当時のクラスメートに「みんなが反米・反帝国主義って言っているときに、あなただけはアメリカがいかに素晴らしいところかを語っていた」と言われたという。

学生生活が三年を過ぎたときに出会ったのが、ベトナムでの三年間の兵役を終え、米カリフォルニア州から京都にやってきたグレッグ・デイビスである。米国に戻ったものの、帰還兵に対する冷たい視線に居心地の悪さを覚え、休暇で何度か訪れたことのある京都を再訪、シャワーもない木造アパートの二階で暮らしはじめたのだった。その下の部屋に住んでいたのが坂田で、ふたりはまもなく強く惹かれあうようになった。

坂田が大学を卒業する一九七二年三月に結婚。坂田は大阪のケーブルTV局で英語放送のアナウンサーとして働きはじめ、グレッグは英語を教えながら、兵役中から興味をもっていた写真に本格的に取り組むようになる。

その後、関西での生活をきり上げ、アジアから欧州、北米を回り、最終的にはハワイの大学で人類学を研究するという計画を実現するため、ふたりで韓国に旅立ったが、滞在した朴正熙(パクチョンヒ)独裁政権下のソウルは、写真家としてのスタートを切ったばかりのグレッグにとって魅力的な被写体に事欠かない場所で、仕事の依頼も増えてきた。

坂田はやむなく日本に戻り、大阪のケーブルTV局のニュースデスクと東京の英語塾の講師の仕事をかけもちし、グレッグは韓国と日本を往復しながら写真家としてのキャリアを徐々に積み上げていった。坂田はまもなく、海外の芸能人や国際ニュースにかかわる写真を日本のメディアに提供していた写真通信社に採用され、米国人の社長と日本人従業員との通訳や、ニュース写真の英文キャプションの翻訳などを担当。のちにこの社長が急死してからは会社を引き継ぎ、経営者となる。

グレッグは米国のＴＩＭＥ誌などとのつながりもでき、東京を拠点に、韓国やベトナム、カンボジアなどアジア全域でフォト・ジャーナリストとして本格的な活動を始めていた。韓国では民主化の過程を取材するなかで、のちに大統領となる金大中(キムデジュン)や反体制派の詩人、金芝河(キムジハ)と信頼関係を築き、ビルマではノーベル平和賞を受賞した民主化運動の指導者、アウンサンスーチーとの単独インタビューを実現した。

国際テロ組織アルカイダによる米国への同時多発攻撃翌年の二〇〇二年には、ふたりでウズベキスタンやアフガニスタンに取材に出かけたが、このころからグレッグは体調不良を訴えることが多くなり、翌年春、肝臓がんと診断された二週間後に五十四歳で逝った。

入院中、グレッグとアジア各地の取材をともにしてきた英国のベテラン写真家で、ベトナム戦争の写真集も出版したフィリップ・ジョーンズ＝グリフィスから坂田に電話があった。彼もその二年前に、がんのため肝臓の四分の三を切除する手術を受けていた。ふたりのフォト・ジャーナリストが奇しくも同じ病気になったことについて、それは職業病なのかと尋ねたところ、即座に「枯葉剤のせいだと思う」という答えが返ってきた。

枯葉剤は米軍がベトナム戦争中に、南ベトナム解放民族戦線などが潜伏する森林地帯の木々や、食料となる農作物を処分するために散布したもので、毒性があり、ベトナム人だけでなく米軍兵士らにも健康被害をもたらしたとされる。「そういえば、京都で出会い、おたがいの将来について語りあっていたころ、グレッグは『ベトナムで枯葉剤を浴びたので子どもはできない』と話していた」。グレッグの死が本当に枯葉剤によるものなのかを検証し、そうであるなら、その被害について告発しなければならないとの思いが、坂田のなかでふくらんでいった。

枯葉剤を追って

あれこれ考え、ふと思い出したのが、前年、ビデオカメラを持ってグレッグのアフガニスタン取材に同行したことだった。「映画というのは、検証と告発のひとつの方法かもしれない」。

ここからの行動は素早かった。高校時代の留学先の隣町にビデオ撮影や映像編集を教える学校があることを偶然知り、グレッグの死から半年後には休暇をとって、以前のホスト・ファミリー宅に滞在しながら二週間のコースを受講した。地元の話題などをネタに取材を重ね、講座が終了するころにはなんとか映画らしきものがつくれるようになっていたという。

帰国後、ふたたび写真通信社の経営者として仕事を続けながら、夜は「枯葉剤（Agent Orange）」のキーワード検索で見つけた本を読みあさり、インターネットでも関連情報を探すなど、映画製作のためのリサーチに没頭した。

準備を重ね、新しく購入したコンパクト・ビデオカメラを手にベトナムに向かったのは、グレッグの死から一年二か月後の二〇〇四年七月。グレッグの友人で、写真集『Agent Orange』を出版したばかりのフィリップ・ジョーンズ＝グリフィスも同行してくれた。本当にドキュメンタリー映画が撮れるのか、撮れたとして、発表の場はあるのかなど、何も決まっていない状態で踏みだした最初の一歩だったが、坂田にとっては「発表できるかどうかなんて、どうでもいいこと」だった。

ベトナムでは二週間かけて、多くの枯葉剤被害者やその家族と接触。その後もベトナムでの追加取材や米国のベトナム帰還兵団体関係者のインタビューなどを重ね、計約八十時間分の映像を撮影した。会社から帰宅後に明け方近くまでコンピューターの画面に向かい、膨大な映像をひとつの物語として編集する作業を続けて、完成したのが『花はどこへいった（Agent Orange – Personal Requiem）』である。手足や眼球の欠損など、さまざまな障害をもって生まれた子どもたちや、その家族らの生活が画面に映しだされる。

『花はどこへいった』は、記録映画などの製作・配給を手がけている会社のプロデューサーの紹介もあり、東京・神保町の老舗映画館、岩波ホールで二〇〇八年六月から一か月にわたり上映されることになった。還暦でのドキュメンタリー映画界へのデビューで、グレッグの死から五年が過ぎていた。映画はまた、同年十一月にフランスで開かれた国際環境映画祭での審査員特別賞や、毎日映画コンクールのドキュメンタリー映画賞なども受賞した。

映画は坂田の叔父である井上駿の紹介で、現代技術史研究会の会合でも上映され、その後、会員らとの懇談の機会もあった。「技術者という、私がそれまで知らなかったタイプの人たちが多くいて、私自身はヒューマン・ドラマと考えていた映画を、現技史研の人たちは公害の問題と重ねあわせたりしながらみていた」という。これが、坂田と現技史研との接点となった。

私が坂田と知りあったのもこのころのことだ。映画製作の経緯などについて取材し、記事にしたことがきっかけで、それ以降、坂田のドキュメンタリー映画監督としての仕事をフォローするようになる。

ふたたびベトナムへ

映画が一般公開されたころ、坂田は経営していた写真通信社を他社に譲渡した。写真配信のデジタル化に対応できなくなったことが理由だった。完全なフリーランサーとなり、二作目として構想したのが、ベトナム国内だけでなく、米国のベトナム帰還兵の子ども世代にも広がる枯葉剤の被害を伝えることだった。

取材を進めるなかで出会った被害者のひとりが、米中西部オハイオ州に住む当時三十八歳のヘザー・バウザー。父親はベトナムで枯葉剤を扱っていた基地に駐留経験があり、母親の二度の流産後に生まれたヘザーは、右足の膝から下と左足のつま先、両手の指数本が欠損した状態だった。ヘザーの父と坂田は同世代。「彼女と出会ったとき、もしかしたら彼女は私とグレッグが生んでいたかもしれない子どもだ、という気持ちが沸き上がった」。

対話を重ねるなかで、ヘザーと夫のアーロンがベトナムの被害者と対面する旅の企画がもちあがり、その記録が二〇一一年一月、ＮＨＫのＥＴＶ特集「枯葉剤の傷痕を見つめて――アメリカ・ベトナム　次世代からの問いかけ」として放映された。この旅でヘザーは、自分と同様に四肢や指を欠損したベトナムの子どもなど多くの被害者たちと出会い、枯葉剤被害が世代や国境を越えた問題であること、被害に苦しんできたのは自分だけではなかったことを確認した。

枯葉剤に翻弄されながらも国境を越えたつながりを求め、必死で生きる人びとの姿を描きだしたこの番組はギャラクシー賞優秀賞を受賞、さらに、坂田の二作目の映画『沈黙の春を生きて（Living the Silent Spring）』ベトナム、アメリカ――いまだ癒えぬ枯葉剤の傷痕』の製作につながった。農薬など化学物質の危険性を告発したレイチェル・カーソンの一九六二年の名著『沈黙の春』に、枯葉剤被害を重ねあわせたものだ。この作品の公開準備を進めていたころに東日本大震災が発生、福島通いが始まる。

福島でカメラとともに持ち歩いていたのが、母の静子がチェルノブイリ原発の事故後、脱原発運動の仲間たちと約三十万円で購入した放射線探知機。「そのとき母は『こういうものを買ったのよ』と誇らしげな様子で見せてくれた」のだという。

何度目かの取材中、その放射線探知機が突然、警報を発した。そのとき「これを持ってマーシャルに行ってみよう」という考えが、ふと頭に浮かんだ。西太平洋ミクロネシア海域に位置するマーシャル諸島は第二次大戦後、米国のたび重なる原水爆実験の舞台となった珊瑚礁の島々で、放射能汚染のため故郷を離れざるをえなかった島民も少なくない。福島第一原発から漏れだす放射能を逃れ、ゆかりのない土地に避難していった福島の住民の運命が、マーシャルの人びとのそれと重なって見えた。

「マーシャル諸島の歴史や現状、島民の運命などをとおして、福島が今後どうなっていくのか、私たちは何をすべきなのか、を考えるヒントみたいなものを見つけだすことができるのではないか」。福島を歩きながら、第三作の構想が固まっていった。

核を追い、マーシャルからドイツへ

「核」をテーマとした第三作の取材は、マーシャル諸島だけでなく、使用済み核燃料再処理工場のあるフランスのラ・アーグや、冷戦を背景とした核兵器開発競争でソ連が一九八九年までの四十年間に四百七十回の核実験を行なったとされる中央アジアのカザフスタン・セミパラチンスクなど、世界各地におよんだ。国内でも、一九五四年にマーシャル諸島ビキニ環礁での水爆実験で被爆したマグロ漁船「第五福竜丸」の元乗組員などにインタビューした。

「核」に翻弄されてきた地域や人びとを訪ね歩いた記録は二〇一四年、『わたしの、終わらない旅』として公開された。

第二次大戦中の広島・長崎への原爆投下、戦後十年もたたない時期に起きた第五福竜丸事件、さらに一九九九年九月に茨城県東海村のＪＣＯ東海事業所の核燃料加工施設で発生した臨界事故、そして福島と、日本は核にからむ大きな事件をいくつも経験してきた。映画の公開後、東京都内で開かれた小さな集会で、坂田は「これだけの思いをしながら私たちは、原子爆弾はダメと言いつつ原子力発電は許してきた。それは、原発は平和利用だからというロジック、まやかしがまかり通ってきたからではないのかと、取材をしながら痛感した」と語っている。

坂田雅子

この映画の取材の過程で坂田は、現代技術史研究会が原子力問題をとりあげる会合に顔を出すようになっていた。「私の母は原発をめぐる問題について、専門家だけに任せていいのかと考えて活動していたし、私自身も、現技史研での議論を聞きながら、専門家じゃなくてもわかるんだと思えるようになった」。福島の事故とその後の取材がきっかけで、坂田も現技史研に入会することになる。

そんな坂田の関心が、福島の事故を受け、二〇二二年までに国内のすべての原子力発電所の停止を決めていたドイツに向いたのは当然だった。

「なぜ、ドイツは脱原発ができて、福島事故の当事者の日本にはできないのか?」。そんな疑問に対する答えを求め、ドイツでの取材を始めたのは二〇一五年のことである。原子力に頼ることなく、自前で電力需要を満たしている小さなコミュニティに滞在し、その取り組みにかかわる人びとと対話しながらカメラを回した。

グラフェンラインフェルト原子力発電所近くの村では、多くの家屋の屋根に設置されたソーラーパネルと水車が約五十世帯に電力を供給、太陽光と水力などの自然エネルギーで電力は百パーセントまかなわれていた。人口二千五百人の町、シェーナウの住民有志は脱原発に向け、出資者を募って大手電力会社から送電線を買いとり、自然エネルギーのみを使った自前の電気を販売するという、驚くような事業を実践していた。チェルノブイリ原子力発電所の事故（一九八六年）が、そのきっかけだった。

第二次大戦での敗戦とその後の急速な経済発展という、共通の歴史をもつ日本とドイツ。しかし、どんな社会をめざすのかを模索するうえではまったく違う道をたどってきたことが、政治家や宗教家、市民運動家らにもインタビューを重ねることで浮き彫りになった。

ドイツでは一九六八年の学生運動にかかわった学生の多くが、その後、原子力発電所の建設が予定されていたライン川沿いの小さな村での反対運動に参加、地元の農民や主婦らとともに建設計画を撤回させた。この動きはさまざまな市民運動に発展し、「緑の党」の結成にもつながっていく。

権威に服従することなく、みずから考え、みずからの足元から始める。過去を直視し、過去に対する反省から、望ましい社会の将来像を模索する。「ドイツを脱原発に導いたのは、（一九六八年の学生蜂起以降）五十年来にわたる市民の運動があったから。市民の力の強さをドイツで感じた」と坂田は言う。

三年間のドイツでの取材は二〇一八年、『モルゲン、明日』として結実した。ドイツ各地での脱原発に向けた取り組みを紹介する映像の最後に登場するのは、群馬県みなかみ町にある坂田の自宅兼仕事場。解体された新潟県の古い農家の柱などを再利用して建てたものだ。ドイツでの取材をきっかけに、坂田自身もこの家に太陽光による電力や薪ストーブなどを導入。再生可能エネルギーによる電力の地産地消を推進する地元の会社とも電力購入の契約をした。

二〇二二年夏にはベトナムの枯葉剤被害者と家族の現在の状況を記録した『失われた時の中で（Long Time Passing）』も発表。この映画の編集作業と同時進行で、みずからも所属する現代技術史研究会そのものにカメラを向けはじめた。原子力を含めた現代技術の問題に技術者たちがどう向きあってきたかや、再生可能エネルギー導入の可能性などを取材するため、叔父である井上駿ら会員たちのインタビューを進めた。みずからも歩んできた「戦後」という時代に、自分たちは何を得て何を失ったのかも考えてみたかった。記者の私も、その取材に同伴した。

坂田のカメラの前で自分自身の「戦後」を語った現技史研の会員のひとりが、造船会社の技術者を経て、現在は再生可能エネルギーの開発にもかかわる廣瀬峰夫（ひろせみねお）である。

憧れのエンジニアに――廣瀬峰夫

新潟県上越市出身で、子どものころから「ものづくり」や科学技術に関心を持っていた廣瀬峰夫は一九七三年、「なんの迷いもなく」工学部を志望し、横浜国立大学に入学。「漠然と海が好きだった」こともあり造船工学科（当時）を選んだが、当時、造船工学が学べる大学は横浜国大のほか東大や大阪大、広島大など数校しかなく、「珍しかった」ことも理由のひとつだったという。

日本の造船業界は一九五六年に船の建造量で英国を抜いてから世界首位の座にあり、廣瀬が大学に入学したころは、造船工学科の出身者にとってはバラ色の時代といわれていたが、その後、石油危機などの影響で造船業をとりまく状況は激変し、造船会社に職を得ることができる人数は絞りこまれていた。

卒業を前に同期生の多くが自動車会社や空調設備などの会社に就職を決めていくなか、廣瀬は、海底石油資源の開発にあたるクレーン船や掘削船などの作業船を造っていた三井海洋開発を志望。ダメなら大学院に進むことにして採用試験を受け「運良く」入社することになった。

三井海洋開発は大手造船会社と商社が中心となって一九六八年に創業したばかりで、若い社員にも「どんどん仕事を与え、自由にやらせた会社」だった。「いまの現場は業務が細分化され、自分の専門のところは分かるが、それ以外のことはわからない、関心がないという技術者も少なくない。ただ、この会社では、社員がいろいろなことを経験し、広い視野で技術をみることのできる技術者が養成されたと思っています。私を成長させてくれた会社ですね」。廣瀬は船体部に配属となり、船の構造設計などを受けもつことになった。

子ども時代、牛乳一本を四人のきょうだいで分けあって飲むような経済的には豊かといえない環境にもかかわらず、両親は教育の機会をできるだけ与えてくれたといい、廣瀬は小学校六年生のときには独学でアマチュア無線技士の資格も取得した。当時から「何か新しいものを設計、デザインするようなエンジニアに漠然と憧れていた」といい、新しい組織での仕事で、そんな夢がかなうことになった。

一方で、三十歳前後には役職が与えられて残業代が出なくなることなどに社員のあいだで不満も出ていた。そうした声を受け、若手の社員が中心となって労働組合設立の準備が秘かに進められ、結成大会開催の数日前には入社三年目の廣瀬にも参加するよう誘いがあった。「いつもは夜の十時、十一時まで残って仕事をしていた同僚たちが、結成大会の当日は七時半ごろには一斉に部屋を出てしまい、管理職が『どうしたんだ?』って感じでおろおろしていた姿が記憶にあります」。

廣瀬が大学に入学する前年には、連合赤軍のメンバーらが長野県軽井沢町の保養所に人質をとって籠城した「浅間山荘事件」や沖縄の「本土復帰」、入学後も韓国の大統領候補だった金大中氏の東京都内のホテルからの拉致など、政治的事件があいついだ。そんな時代にあって廣瀬自身は、経済的弱者が取り残されるような社会や、保守政権が続くことに疑問や反発を感じてはいたが、政治的な活動にかかわることもなく、家庭教師のアルバイトと奨学金で生活を支えながら、勉強は三割、「タダ酒に釣られて入った」男声合唱団でのサークル活動が七割という大学生活を謳歌した。それでも、新しく発足した労働組合の勧誘には「心躍るような気持ちで」応じたのだという。

組合の執行部を担ったのは廣瀬の先輩で、後に東芝の原発技術者に転身する後藤政志である。廣瀬も後藤の依頼を受け、書記局員としてビラづくりなどの組合業務にかかわるようになった。

「そのころはまだ、組合に対する期待が大きくて、どういう組合ができるんだろうっていうわくわくした感じがあったと思います。私たちの組合は、当時の総評や同盟などの上部団体には所属しない独立の組織としてやっていこうと決議して活動していました」。

自動車総連や電機連合、電力総連といった民間労組中心の旧同盟系と、自治労や日教組など官公労組中心の旧総評系が日本最大の労組ナショナルセンター（全国中央組織）である「連合」を結成するのは、廣瀬たちが労働組合を立ち上げてから約十年後の一九八九年のことである。

三井海洋開発で旗揚げしたのは「原則的な組合」で、何度もストライキを行なったが、会社側もロックアウト（経営者側による施設封鎖）で対抗、それを阻止するために組合はピケを張って管理者を社内に入れないなど、双方で「二十年前（一九六〇年代）に戻るような闘い」をくり広げていたという。組織のなかでは弱者である個々の労働者が、強い立場の経営陣と対等に渡りあえることに廣瀬個人は喜びを感じていた。しかし、組合の要求が徐々に受け入れられ、待遇も改善してくると、会社寄りの姿勢をみせる組合員も出てくるようになり、結成当初の高揚感は次第に薄れていったという。

現技史研に鍛えられる

その後、廣瀬は一九八二年から、アラブ首長国連邦（ＵＡＥ）の構成首長国アジュマンにエンジニアとして赴任する。三井海洋開発がＵＡＥ側の資本参加を得て設立した合弁企業への出向だった。「会社や組合を離れ、自分が海外でどれだけ仕事ができるのかに挑戦したくなり、技術者としての現場に希望して赴任しました」。

インド人の作業員が約三百人、別会社からの出向者も含めた日本人スタッフが約五十人という人員規模で、現地の作業船の修繕や鉄鋼構造物の作製などにあたった。国籍の違う同僚同士のあつれきなども間近に見ながら、「技術者としての成長をうながされた」三年間を過ごし、八五年に帰国する。

ところが、帰国したころの会社の経営は、原油価格の長期低迷により主力の海底油田開発が激減したことなどを受け難しい状況に陥っており、希望退職の募集が行なわれていた。労働組合内部では、会社の解散を阻止するために徹底抗戦するのか、退職金の上積みなど条件闘争の路線をとるのかで激しい議論がくり返されたという。労働組合で活動をともにした後藤に誘われて現代技術史研究会の例会に初めて参加したのは、会社も、技術者としての自分の将来も転機にさしかかっていた、このころのことだった。

「現技史研の活動については後藤さんから少し聞いてはいましたが、よくわかってはいませんでした。ただ、例会に誘われたときには、次回の発表者は宇井純さんだと聞き、参加してみることにしたのです」

廣瀬は高校時代から、東大で教授にもならずに「水俣病の告発者としてこの問題に鋭く切り込んでいた」宇井を尊敬し、「こういう人間になりたい」と思っていたという。「宇井さんが話をするのなら多くの人が集まるのだろうと思っていましたが、わずか十数人の、本当にこじんまりとした会合だったことに驚きました」。宇井はそのとき、水俣病や排水処理などについて参加者に報告したという。

例会のあとは大学時代の男声合唱団同様、参加者同士の懇親会に流れ、「しばらく（例会に）来てみないか」ということで、現技史研とのかかわりが始まった。当時の現技史研は、月に一回程度の例会と、同程度の頻度で開かれる部会があり、都内の公共施設の会議室などを借りて十数人が集まっていた。廣瀬を引き込んだ後藤によると、研究会終了後はほぼ毎回飲み会があり、「それが楽しみで来ている連中も多くて、例会が終わるころにようやく顔を出す会員もいましたね」。

十数団体が共同で借りていた水道橋の事務所に主だったメンバーが月に二回ぐらい集まり、会の運営について協議。廣瀬も若手会員として、会計などの仕事を担うようになった。そのころ、一九六九年末に刊行された『日本の技術者』を初めて手にしたという。「自分の思想性と生き方を合わせようと模索している人たちがいるんだと驚きました。出版から十五年以上たっていたのに、古くさいなんてまったく感じなかった」。

みずからの勤務先は厳しい状況にあったが、現技史研でのつきあいをとおして、他社には労働組合の支援も期待できないまま苦しみもがいている技術者が大勢いることを知った。また、真剣に社会に立ち向かっていく現技史研のメンバーらの行動力を間近でみて刺激を受け、「ひじょうに鍛えられました。私が現技史研に対して行なった貢献より、もらったもののほうが多かった」。

初めて例会に参加して以降、廣瀬は事務局長や議長などを務め、現技史研の中心メンバーとして運営にかかわり続けた。

「たとえ会社の仕事であっても、技術的に人間を抑圧するようなものは本来はやるべきじゃないなどという思いも、社内では声に出して言うことはないけど、現技史研のなかでは話し合うことができるし、おたがいにアドバイスしあうような関係を築くこともできる。外に対しては自分の考えをペンネームで発表することだって可能です。そのような場だと認識していたので、秘密結社的な臭いがプンプンしていました」

「ものづくり」の現場で考えつづける

勤務先の三井海洋開発は一九八九年、解散を決め、同僚の多くは証券や保険会社、銀行などに転職していった。だが、技術にこだわる廣瀬は、商社がかかわるプラントの技術的なサポートをする会社に移り、「ものづくりの仕事からは離れない」場に身をおいた。そこから、日本の政府開発援助（ODA）による事業のマスタープランを作成するコンサルタント会社に転職、アジアやアフリカの無電化地域に太陽光パネルや風車などを設置し電化を図る仕事に約五年間、取り組んだ。

しかし、コンサルタントの仕事はそれまでの設計と違い、実際にものづくりに携わっているという実感をもつことができなかった。「このままでは、自分の技術屋としての感覚が衰えていくという危機感がありました」。

その後、独立してふたたび石油業界に戻り、日本近海で石油を探査する船舶の運行会社に嘱託で入社した。この会社は、洋上風車の建設にかかわるオランダ企業の日本での代理店ともなり、現技史研の例会でも、洋上風力発電の現状や課題について報告するようになった。

二〇〇七年六月発行の『技術史研究』第七六号では、太陽光発電や風力発電はまだきわめて不安定な電源であり、「エネルギー供給の主役を張れない」とし、既存の火力発電や原子力発電の比重を減らして自然エネルギーの割合を高めていくためには「太陽光、風車、バイオマス発電との組み合わせで

廣瀬峰夫

トータルとしての自然エネルギーの導入量を増やしていくことが必要」と指摘している。

エネルギー問題の章を担当した『徹底検証　21世紀の全技術』では、バイオ燃料の問題点を次のように解説している。

バイオ燃料の原料となる植物を生産し、バイオ燃料をつくり、消費者に届けるためには、肥料づくり、耕作や収穫のための機械使用、輸送の各過程で電力や燃料が必要となる。これを考えると、バイオ燃料は「化石燃料なしには利用できない再生可能エネルギー」であり、二酸化炭素を排出しない「カーボンニュートラル」でもない。「バイオ燃料が生み出すエネルギーが、バイオ燃料の生産から燃料として使用されるまでの投入エネルギーよりも大きくなければ」本来の意味をもたないことになるが、大半のバイオ燃料はその基準を満たしていない。

地球温暖化対策の柱のひとつとして注目されるバイオ燃料の生産に、人間の生存に不可欠な食料を振りむけているため、「世界的にも穀物をはじめとした食料が石油と同様に大幅に値上がりして、特に購買力の小さい非産油発展途上国の経済と民衆の生活を直撃」する事態も起きていることを挙げ、廣瀬は、バイオ燃料の使用を進めていくならば、その原料は食料とはならない植物や廃棄物などでまかなわなければならないと提言した。

クリーンだとされる再生可能エネルギーも、太陽光パネルや風車をプラスチックでつくるのなら石油を使うことになる。「トータルでどれだけエネルギーが浮くのかということは、つねに勘定しなければいけないはずです。その細かい検証は、私自身のこれからの宿題」。そう廣瀬は考えている。

模型少年が技術者に——後藤政志

廣瀬峰夫を現代技術史研究会に勧誘した後藤政志は、三井海洋開発から東芝に移り、原子炉格納容器の設計にあたった技術者である。プロローグで紹介したように、原発そのものには批判的な考えをもちながら原子力の現場で仕事を続けたが、福島第一原発の事故後は、原発を熟知する立場の技術者として情報発信するのがみずからの責任と考え、メディアなどにも積極的に登場して実名で脱原発を訴えてきた。

軍艦模型に熱中していた中学生時代の後藤政志

技術者として生きていこうと決めた学生時代や、原子力企業への転職に思い悩んだときなど、人生の重大な岐路に立つたびに現技史研の存在に支えられ、進むべき道を選択してきた。

後藤は一九四九年、東京・世田谷で生まれ、小学校四年のときに父親の仕事の関係で静岡県富士宮市に転居する。東京から来た「標準語を話す生意気なよそ者」にはなかなか友人もできず、近所の高校生の手ほどきを受けながら船の模型をつくることで寂しさをまぎらわせていた。「そのお兄さんは木を削って本当に上手に模型をつくるんですよ。僕もプラモデルの組み立て図などを見ながら、建設現場からもらってきた木切れを削っていました」。やがて、ふたりの同級生が加わり、ゴム動力の潜水艦や軍艦など百隻近くを競うようにして作成、「プラモデルでは味わえない充実感」に浸るようになる。

終戦からすでに十数年がたち、後藤自身は軍国主義とは無縁の少年だったが、軍艦は「技術の象徴」であり、船の形状的な美しさと流体力学的な現象に惹かれていた。中学三年まで没頭した模型づくりが「技術者をめざすきっかけ」となり、卒業後の一九六五年、国立の沼津工業高等専門学校の機械工学科に入学した。その三年前に「我が国の産業の発展と工学教育の振興を図るために創設」(同校ホームページ)されたばかりの五年制の高等教育機関で、後藤は四期生にあたり、五年生はいなかった。カリキュラムもまだ十分に整備されておらず、「中学を卒業したばかりで微分積分も知らない一年生に、物理で微分方程式が出てくるような状態」だったという。家庭の経済的事情もあり、奨学金を得ての進学だった。

後藤が入学した年には、文部大臣の諮問機関である中央教育審議会が、次代を担う青少年のめざすべき姿として「期待される人間像」の中間草案を発表。翌年に出た最終答申は、愛国心や天皇に対する敬愛を強調し、大きな議論を巻き起こした。国外に目を向けると、ベトナム戦争に介入した米国が北ベトナムに対する大規模な爆撃（北爆）を始めていた。

こうした騒々しい時代にあって、後藤は当初、将棋が好きな「ノンポリ学生」だったが、高専四年生のときに、新聞部にいた先輩に誘われて学生会の活動に関与するようになる。これがきっかけで、学生側が決めたことでも学校側の了承なしには何もできない状況や、詰め込み式の授業、全寮制のもとでの細かい規律などに疑問を感じるようになった。学生会の役員として他の高専の学生とも交流するなかで、学校や社会にある矛盾に目を向けはじめ、自分が将来、技術者として、社会に対して何ができるのかも考えるようになっていた。全国の大学では「大学解体」を叫ぶ全共闘運動が巻き起こっていたころである。

「そのまま高専を卒業して会社に入ることに大きな抵抗感」をもっていた後藤は、もう少し勉強を続けようと広島大学工学部の船舶工学科の編入試験を受験、一九七〇年に同大三年に編入した。模型づくりに熱中した「小学生のころからの船に対する憧れ」が、この学科を選択した理由であることは言うまでもない。高専での学生会活動や、大学生だった三歳年上の兄の影響などもあって社会問題には関心をもちつづけ、大学では物理学や工学とともに「社会科学、人文科学系の課題を学ぶことができてうれしかった」。

大学の自由な雰囲気を謳歌する一方で、水俣病など「科学技術と人間社会との対立とみられていた」公害問題にも目を向けるようになり、「そのまま技術者になればいいという気持ちにはなかなかならなかった」という。新潟県で「第二水俣病」が確認されて数年がたち、熊本地裁では水俣病の原因企業であるチッソに損害賠償を求め、患者・家族らが訴訟を起こしていた。

大学では友人から、交際中の女性が被爆二世だとの理由で親から結婚を反対され、悩んでいるという相談を受けたこともあった。「自分自身もたまらなくなると同時に、原爆にからみ、さまざまな問題があることを痛感しました」。

船舶工学科を卒業したあとの将来の姿を思い浮かべ、自分が製造にかかわる大型タンカーが事故を起こしたら大規模な海洋汚染にもつながるかもしれないなどと考えて、技術が環境にもたらす計り知れない影響におののくこともあった。

また、会社や社会における技術者の位置づけについて「大学を卒業して就職する技術者は、企業のなかのヒエラルキーでは相対的には優遇される立場になる。一方で、社会のしわ寄せがいく貧しい側の人たちにとって、企業活動やその技術が抑圧的に働く要素もあるということはつねに感じていて、技術者になりたいという思いと、その負の側面との間で葛藤がありました」と取材のなかで語っている。

ベトナム戦争に反対する集会やデモにもときおり参加し、軍事的な面で科学技術がはたす役割についても深く考えるようになっていた。大学の同期生三十五人のうち三十人近くが参加して合宿討論会を行ない、「造船会社に就職し、軍艦をつくる部署に配属になったらどうするか。人を殺すための船をつくることを、組織の人間として拒否できるのか」などという問題を徹夜で議論したこともあったという。「大半の同級生が集まってそんな話をすることが、当時の時代状況を反映しているわけですが、自分自身は、世の中を支配している人たちのお手伝いをするのは嫌だ、という気持ちでした」。

船に対する憧れと、もしかしたら避けられないかもしれない、良心に反する仕事への不安との板ばさみになっていたときに手にしたのが、現代技術史研究会を主宰していた星野芳郎を編者として出版された『日本の技術者』だった。

「非人間的な技術」の打倒と「人間的な新しい技術」の創造、「人民に奉仕する技術思想」の確立を旗印に、企業や官公庁、大学や工業高校などさまざまな現場で技術にかかわる人間が、それぞれの体験をもちよって議論と相互批判を重ね、「技術者のたたかう方向を見さだめようと」した記録を読み、後藤は「技術の現場で社会の問題と向きあいながら必死であがいている人たちがいることを知り、それが救いになったし、すごく感激した」。

「(問われているのは)現場でどう闘うか、どう生きていくのかであって、そこから逃げることではないと教えられた。それは、いばらの道になるかもしれないけど、自分は技術者になっていいんだと思うことができました」。この本に出会っていなければ「技術者になる道を選んでいたかどうか、自信がないですね」と学生時代の読書体験をふり返る。『日本の技術者』はそれ以降、現在に至るまで、後藤の道しるべとなっている。のちに現技史研に入会したとき、「一番感動したのは、星野さんはじめ『日本の技術者』の執筆者たちが大勢いたこと」だったという。

事故をとおして技術を見る

こうして、自分の技能が軍事的に利用されないことや、大きな組織の一歯車とならずに働けることを念頭に、就職先として選んだのが三井海洋開発だった。会社発足から五年後の一九七三年に入社し、海底石油を掘削するための「リグ」と呼ばれるやぐらのような船の設計などに携わることになる。

後藤の入社前、日本は造船大国で船舶工学科の学生にとっては売り手市場の状況が続き、「同期の連中とは、おまえがそっちに行くならおれはこっちっていう感じ」で就職先を選ぶことができた。ところが、入社した年の十月に起きた第一次オイルショックをきっかけに石油の輸送量が減少、タンカーの受注も低迷するなど、造船業界にとっては厳しい時代の幕開けとなり、同僚の廣瀬峰夫が数年後に入社するころには、大学で造船工学を学んでいても造船会社で働けるものはごく少数となっていた。

在職中、英国沖やカナダ沖などでリグが荒天で転覆し、多数の死者が出る事故があいついだ。後藤自身も一九八〇年代半ば、自分が設計にかかわったリグが、太平洋を船で曳航中に沈没するという苦い経験をしている。入社して十数年が過ぎ、技術者としても脂が乗って「自分が設計したものに、ものすごく自信をもっていた」時期だった。輸送途中の事故で犠牲者はいなかったが、「あのときに死者を出していたら、技術者としてその後もやっていけたかどうか、わかりませんね」。

この事故がきっかけで後藤は、「事故をとおして技術を見る」ことを意識するようになった。「事故を徹底的に調査・分析して、その事故に関係した技術者の考え方や設計思想のどこに問題があったのかを考えるようになりました」。

後藤のリグが沈没したころには、一九八五年の日本航空ジャンボ機の御巣鷹山(おすたかやま)墜落や、翌年の米スペースシャトル「チャレンジャー」の爆発、ソ連・チェルノブイリの原子力発電所での炉心溶融（メルトダウン）など、世界的に注目を集める重大な事故があいついでいた。最新技術を駆使した構造物がからむ大きな事件を受け、「技術者というのは、たんにものをつくればいいのではなく、つくったうえで、安全をどう確保するのかが一番重要だ」ということを、強く意識するようになったという。

後藤は『日本の技術者』でその存在を知り、「あこがれていたし、ちょっと恐れ多かった」という現代技術史研究会に、会のセミナーに参加したことをきっかけとして一九八五年ごろに入会した。現技史研をベースに、船だけではなく、自動車、鉄道、飛行機などに用いられる技術の特徴とそれぞれがかかわる事故を比較分析する作業に取り組むようになったのである。「事故論」研究の始まりである。

一九八九年には、田中直が編者となった『転換期の技術者たち——企業内からの提言』の執筆にも参加。池田諭の筆名で、企業で働く技術者としての経験とともに、それまでの事故論研究の一端を報告している。

このなかで、構造物が損壊するのは「コンピューターを駆使した精緻な解析をどんなにしても、定量化の困難なさまざまな要因が存在すること、そしてそれが時として最も支配的な要因となりうること、そのごくあたりまえのこと、つまり技術というものは理論的に解ける部分と、経験的にミスを重ねて初めてわかる部分との総合化によっているること、を忘れてしまっているからではないだろうか」と分析している。日航機の墜落も、後藤の指摘のように、機体後部を滑走路にぶつける尻もち事故後の圧力隔壁の修理ミスと、その見逃しが大惨事につながったとみられている。

みずからが設計にたずさわった掘削船の太平洋での沈没事故についても、後藤は取材に対し、設計にあたっては波の高さや風の強さなど自然現象も考慮に入れているが、ときとして想定を超えてしまうことがあり、事故が起きて初めてそれがわかることがある、と話している。「強度計算は間違っていないかとか、力学的に正しいかとか、そんなことばかりを考えてきた人間が想定外のことにぶつかると、いったい自分は何を設計していたんだ、技術者としてこれでいいのか、と思っちゃうわけですよ」。

結論として、事故を完全になくすことはできないし、「絶対安全」などというのもありえないことなのだが、それを言い訳に使ってはいけないと後藤は言う。「技術者が『事故は減らすことはできても、なくすことはできない』なんて、最初から言っていてはダメだと思います。事故を減らせばいい、などという発想では（技術者は）ボロボロになっちゃいますね」。「事故論」になると、後藤の話は熱を帯びる。

二〇一〇年に発刊の『徹底検証　21世紀の全技術』でも、電車や船舶、航空機など高速・大量輸送における安全性確保についての章を担当。船舶に関しては、過度の大型化は操縦性を阻害するとして、操縦性改善のための補完システム導入の必要性を指摘し、全自動の交通システムについては、運転士不在で事故が起きると対応が難しくなり、惨事も大規模化する恐れがあるとして見直しを提唱するなどした。また、実際に起きた事故の原因や背景を分析した章では、百七人が死亡したJR福知山線の列車脱線事故（二〇〇五年）などとともに、原子力発電所での事故もとりあげた。福島第一原発事故の前に書かれた論稿だが、福島でその後に起きることを見通しているような記述に驚かされる。

「原発のような複雑な制御系システムにおいては、同じ機能を持つサブシステムを複数台備え、システムの多重化により事故の拡大を防ぐ」仕組みになっているが「地震による機能・装置の故障や、発電所内が停電になる全電源喪失事故（ステーション・ブラックアウトという）では、ひとつの要因が同時に複数の故障を起こす共通要因故障が起きるので、多重化された安全系も一気に突破されてしまう」とし、原発ではフェールセーフ（多重安全）は「成立しない」と書いている。原発の制御システムは膨大なエネルギーを抑え込んでいるが、そのシステムが故障すると、そのエネルギーが「急に解放され、機器や容器を破壊し、壊滅的な大規模事故につながる。たとえ他にいかなるメリットがあろうと、あなたは、こうした危険な技術の選択をする気になりますか」と読者に問いかけた。

技術者としての転換期

技術者としての経験を積み、事故論の研究も進める一方、企業に所属していた後藤は、長時間の残業や、社員とその家族の事情を考慮に入れないような長期出張命令などといった仕事のあり方を見て、労働組合の必要性を強く感じるようにもなっていた。心を許していた先輩との、会社や上司に対する酒を飲みながらの愚痴の言いあいが、組合結成につながっていったのは自然な流れだったのかもしれない。

信頼できる同僚に声をかけながら、秘密裏に準備を進め、それから三年後、土曜日の出勤命令が出たのを機に、会社で初めての組合は旗揚げした。以降、後藤は書記長として会社幹部との交渉にあたり、土曜出勤命令の撤回や出向での事前同意制の導入などを実現していく。

しかし、すでに希望退職などによる大幅な人員削減に踏みだしていた三井海洋開発は、一九八九年に解散。その年に出版された『転換期の技術者たち』で後藤はペンネームを使い、社名も明らかにしないまま、再就職先を求める同僚たちの様子を記録している。

退職者が新たにつく業種は銀行や保険会社、商社などのコンピューター部門が多く、「もはや日本の重厚長大型の製造業は急速に縮小の道を歩み、かつて高度成長を支えてきた重化学工業部門はコンピュータソフト技術と第三次産業にとって代わられようと」していた。一方で、待遇のよい安定した金融機関などでの仕事の口があっても、「〝技術から離れる〟ことに対する躊躇」から転身を決めかねている同僚もおり、後藤は「私はそれまで自分とは随分仕事のやり方や考え方が違うと思っていた彼に、急に親しみを覚えた」という。

また、「小人数ながら非常に幅の広い技術者」たちがいた会社なのに、経営側が考えているのは「ただ人数合わせであり、どの仕事にはどのような分野の技術者が必要かすら頭になく、必要になればいつでも代わりを補充できると考えているように見える」との批判もぶつけている。

再就職の必要に迫られ、後藤自身も技術者としての転換期に直面していた。「ただし、技術者って簡単には転換できないので、私の場合は、構造物の設計と安全性という観点で新しい仕事を探しました」と当時をふり返る。

会社が解散した一九八九年、国内では年明けに昭和天皇が死去、四月には三パーセントの消費税が導入され、七月の参議院選挙では社会党が躍進。海外でも、中国・北京では学生らによる天安門広場での民主化運動が始まり、東西冷戦の象徴だったベルリンの壁が崩壊するなど、多くの歴史的な事件が起きていた。そうした時代に後藤が再就職先として選んだのは、原子力事業を推進していた東芝だった。

原子力発電については、現代技術史研究会の会員のほとんどが反対の立場で、後藤自身もチェルノブイリ原発の事故などを受け、安全性の観点から批判的にみてはいた。「ただ、原子力を外から批判するのならなんでも言えるけど、そこにかかわる技術そのものをきちんと見ていこうとするなら、自分がそのなかに入って、その技術に触ってみないと、何が悪くて何がいいのかはわからないのではないか、とも考えていました」。

安全性の問題が一番問われる原子力の分野で、技術について勉強してみたいという強い欲求や「原子力とはそもそもどんな技術なのか、という好奇心」に押され、現技史研のメンバーらに原発事業への転職について相談したところ、「やめたほうがいい」という否定的な反応も多かったが、創立者の星野芳郎は「君が本当にそう思うのなら、やってみたらいいんじゃないか」と励ましてくれた。軍事産業にとりこまれることになるのではと将来を不安視する技術者の卵たちを「兵器をつくりながら平和運動をやれ」と鼓舞したときと同様の対応だった。

東京都立大などで教員を務めた会員の湯浅欽史（ゆあさよしちか）（一九三五―二〇一九年）には、原子力の世界にいつまで身をおき、いつ辞めるべきなのかを尋ねてみた。脱原発運動にもかかわっていた湯浅は、「君にとって、そこにいることにメリットがあって正しいと思うのならいればいいし、メリットがなくなってデメリットのほうが大きくなり、まずいと思うなら辞めればいい。そう思うまでやればいいんだ」と答えてくれたという。

後藤はのちに『技術史研究』第七九号（二〇一〇年）で、「星野さん、現技史研から学んだことは『技術者は自分の現場にこだわる』。このことを逆にいうと現場にいて技術を知っている人間が技術を語らなくて、考えなくて、技術は変わらない」と書いている。

原子力発電所の構造を熟知したうえで、その危険性を具体的に説明するのでなければ、それは技術者としての反対論とはいえない。現場に入り込み、逆に自分が説得されて、原子力って安全だと思ってしまうかもしれないが、「そういうリスクは覚悟して飛び込みました」。しかし、原子力はやはり危険だとの結論に至るのに、それほど時間はかからなかった。

原発の技術者として

東芝に入社したときにはすでに四十歳。中堅の技術者として、東京電力の柏崎刈羽原発、中部電力の浜岡原発、東北電力の女川(おながわ)原発で、原子炉格納容器の設計に取り組んだ。実際に現場で働いてみると、発電所のシステム、構造物の検査手順などは「ほかの産業よりもていねいだった」という。一方で、酒席などで格納容器の破損の可能性について議論しようとすると、同僚から「若い技術者が、格納容器が壊れるなんてことを知っちゃうと、恐くて設計なんてできなくなる」とたしなめられて「衝撃を受けた」。たしかに、構造物にどの程度の負荷をかけたら壊れるかの実証実験でも、限界を突きつめることはなく、「無限大のエネルギーをもつ原子力を扱っているのに、限界を見せないような試験で安全が確保できるのか」と疑問を感じることもあった。

ものが壊れるのは当然のことで、「それを防ぐために『安全性』ってことを考えるはずなのに、原子力の世界ではそれを言っちゃいけないんだって、びっくりしました」。ものが壊れるということが理解できないようなら「技術者ではない、技術者の資格はないと思います」と後藤は言う。

後藤政志

米スリーマイル島原発やソ連・チェルノブイリ原発などでの事故があっても、日本ではそうした大事故はけっして起こらないといわれていた時代である。

ところが、二〇〇五年八月の宮城県南部での地震や、二〇〇七年七月の新潟県中越沖地震では、女川原発や柏崎刈羽原発で耐震設計の想定を上回る揺れを観測、柏崎刈羽では火災も発生し、後藤の懸念が現実のものとなるような事例があいついだ。

こうした事態を受けても、電力会社や国は「大きな揺れがきても結果的に壊れなかったのだから、原発は強い、安全だ、大丈夫だと言い張っていた。それまで自分は、原発は危ないと漠然と思っていたけど、それは正しかったという確信が深まった。これは、ある意味ですごいショックでした」。壊れなかったのは運がよかっただけとしか思えなかった。

後藤は二〇〇九年に東芝を退職、その二年後に福島第一原発での炉心溶融（メルトダウン）に直面することになる。

事故直後からのユーストリームによる情報発信や記者会見では、中越沖地震など想定を超える地震を経験してきたにもかかわらず、安全性というものを甘く考えて原発設計の基準の見直しを徹底的に行なわなかったことを厳しく批判すると同時に、「格納容器の設計に携わってきた技術者として、自分も責任を免れない」と語った。

会見には、現代技術史研究会の仲間で「柏崎刈羽原発の閉鎖を訴える科学者・技術者の会」の会長を務めていた井野博満も同席し、金属材料学の専門家の立場から福島の事故の解説に当たった。

事故後の集会などでも後藤はたびたび講演し、原子力プラントには安全装置が何重にも施されているが、福島第一原発ではそれらがすべて突破され、破滅的な方向へ進んでしまったと指摘。多重防護システムは事故が起きる可能性を小さくはするが、そのリスクをゼロにして完全な安全を確保することができるわけではないと主張してきた。「いつかは事故が起こりうるし、その対策がとれないのなら（原発に対して）ノーと言うか、事故を許容するかのいずれかしかありません」。

そもそも、技術は失敗を受けて改良を重ね、進歩し、安全を確保できるようになっていくのだというのが後藤の信念だった。「原発は、進歩のための失敗なんてできません。福島のような事故をくり返すことで安全を確保しますからよろしく、なんてことは言えませんよね。失敗の許されない技術っていうのは、技術じゃないと思います」。

福島のような事故をふたたび起こさないためには原発の再稼働は食い止めなければならず、日本からの原発輸出なども許されることではない、というのが結論だった。

また、原発の運転にともなって生じる放射性廃棄物の処分は、解決の見通しがまったく立たない世界的な問題であり、原発の危険や累積しつづける核のごみから人類を解放するには、原発を止め、太陽光や風力など再生可能エネルギーへの転換に技術を傾けていくべきだと呼びかけてきた。

講演に出向き、メディアの取材を受け入れてきたのは、「技術がどうなっているのかを一般市民にわかりやすく伝えて、市民と技術者が対話できる環境をつくる」ためであり、「事故も含め、技術は社会のなかに存在し、社会のなかで動いている。その技術をコントロールするのは技術者ではなく社会であるべきだ」との信念からだ。風力発電の導入にしても、その構造や意義を「いい面も悪い面もひっくるめて説明することで、一般市民がその技術を評価できるようになる。そこで初めて、それを利用するのかしないのか、利用するならどう使うのかについて市民の意見を聞くことができるようになるのだと思います」。

福島での事故を受け、ともに情報発信した原子力資料情報室の勉強会には、東芝の現役時代から参加していた。だが、集まりが終わると後藤は、ほかの参加者とは離れてひとりで事務所を出て、その後の飲み会にも出席しなかった。「（脱原発を主張している情報室のメンバーや学者らと）いっしょのところを会社関係者に見られでもしたらおしまいだよ、って言われていましたからね。そういう人たちと私が接している場面は絶対に外に見えちゃいけないと思って、注意を払っていました」。隠れキリシタンに近い感覚をつねにもっていて、書店にふらりと立ち寄っても、原子力関係の書棚の前に立つことははばかられるような感じもあったという。

勉強会のあとは「いつも僕だけで駅のホームに立って、飲みにいくメンバーを見送っていたんだけど、なかには『こっちに来なよ』ってわざと声をかけて意地悪する人もいましたね」。

原子力に批判的なことをペンネームで発表する一方、原子力の現場での仕事もこなす自分自身に「本当にこれでいいのか」と疑問も感じていたが、退職後まもなく起きた福島の事故が大きな転機となり、実名で記者会見もするようになった。そんなときには、水俣病問題での宇井純など、現代技術史研究会での議論をとおして技術のあり方を考え、それをどう変えていけばいいのかを模索してきた会員たちに自分の姿を重ねていた。

「企業に所属する技術者などが目立たないながらも匿名で活動を続け、そのなかから宇井さんや私のように実名で訴える人間も出てくる。現技史研って、そういう集まりじゃないかと思います」

原発銀座を歩く

福島の事故から十年後の二〇二一年五月、後藤は関西電力の美浜（みはま）・大飯（おおい）・高浜の三原子力発電所で計十一基が建ちならぶ、福井県・若狭（わかさ）湾沿岸地域を訪ねた。「原発銀座」と呼ばれ、原発が地元の雇用やインフラ整備と密接に結びついているような土地である。「原発は住民の生活に染み込んでいて、反対の声も上げにくい」（地元の町議会議員）というなかで、あえて脱原発を訴えてきた人びとに共有する思いを語り、原発依存から脱却する道をともに模索しようと考えていた。私もその旅に同行し、後藤と地元の人々の対話に耳を傾けた。

美浜町で出会ったのは、美浜原発にほど近い小さな集落にある寺の元住職、橘（たちばな）恵慶（えきょう）。周辺の住民の多くが、なんらかのかたちで原発にかかわりながら生活している地域で、現在、寺の住職は息子が務めている。

一九三六年生まれの橘は、寺だけでは食べていけないと福井大学教育学部に進学、僧侶と教員の二足のわらじで生活してきた。美浜原発一号機が営業運転を始める一九七〇年前後から地元のインフラ整備も進み、「発電所の点検などのたびに近所の民宿には多くの人が泊まるようになり、地域は潤うし、うちのお寺でいただく御志も増えるしで、ひじょうによかったわけです。戦後、右肩上がりで（経済状態が）よくなってきて、おお、技術大国日本、そうや、そうやっていう感じでしたね」。

米スリーマイル島やソ連のチェルノブイリの原発での事故が報じられても、「ここの原発は、几帳面な日本人が管理しているんだから大丈夫だろうっていう安心感をもっていました」と、寺の本堂で後藤に話した。

ところが、福井県敦賀市（つるがし）にある高速増殖炉もんじゅで一九九五年、ナトリウムが漏洩（ろうえい）する事故が起き、二〇〇四年の美浜原発での配管破裂による蒸気噴出事故では親類が亡くなるなどして「原発は危ないなって感じをもつようになり」、福島の事故で「他人事ではないんやなってひじょうに強く思いました」。

「技術大国日本」への信頼は徐々に崩れていったが、自分が暮らす地域の事情を考えると、原

橘恵慶が住職を務めていた寺の本堂で語りあう後藤

発に対する疑問をおおっぴらに口にすることはなかなかできないのだという。
「多くの住民にとって、原発は生まれたときから、あるいは物心ついたときからここにある当たりまえのもので、これがなくなるほうが、もしかしたら不自然かもしれない。しかも、原発がなくなったとき、いまのように一家に二台、三台、四台って車を持つような生活を維持できるのか。人間っていうのは、いっぺん楽を覚えたら、元の暮らしに戻るのは難しいことですよ」
それでも橘は、地元の小さな出版物などに寄稿し、「事故が起きたら『想定外』だった、『申し訳ありません』では済まない」ということを少しずつ訴えてもいる。「私は自然の中の一粒ですから、その自然がもたらす津波に襲われて死んでも、かわいい孫が亡くなっても、それは泣いて泣いて終わらせるしか仕方がない。でも、原発事故はなんと言い逃れをしようと人災です。それを防ぐには原発をなくすことだと思います」。

原発が辺地に道路や橋をもたらし、地域に溶け込んでいる実態を、美浜町などで小学校の教員をしていた松本浩（まつもとひろし）も後藤に語っている。

「交通の便のない地域で、病気になったら医師のいるところまで船で行かなければいけないのに、海が荒れるとそれもかなわない。道路があったらどんなにいいだろうと住民が思っているところに、原発といっしょに道路（建設）の話が持ち込まれたりしました」

そういうなかで原発を受け入れた人たちを責めることはできないが、使用済み核燃料の処分や老朽化した原発の廃炉作業のことなどを考えると、この地域の将来が明るいとは思えないと、松本は後藤に話した。

後藤自身も原発銀座をくまなく歩き、巨大な原発を対岸に見ながら狭い入り江で釣りに興じるカップルや親子連れを目にして、「自分は原発技術者として原発の危険性についてはわかっているつもりだけど、これだけ生活に密着してしまっているものに、その地域で反対の声を上げるのは確かに難しそうだ」と認識を新たにした。そういう地域で、たとえ少数であっても脱原発をいかに表現し、訴えていくのかが問われていると、後藤は橘や松本との対話をとおして感じたという。

一方、最初は原発に多少の疑問をもちながらも、徐々に受け入れに傾いてきたという住民からも話を聞くことができた。大飯原発の対岸、小浜市泊で釣り船業を営む波涛弘である。原発建設の話が出たころ、泊地区の区長をしていた波涛は「原発はもしものことがあったら恐い」とは思ってはいたが、原発を誘致した隣の大飯町では「道路も橋もできて、ものすごく地域経済が伸びていった」という。「結局、これまでの四十年で、原発が実際に恐かったことは一度もなかった」。

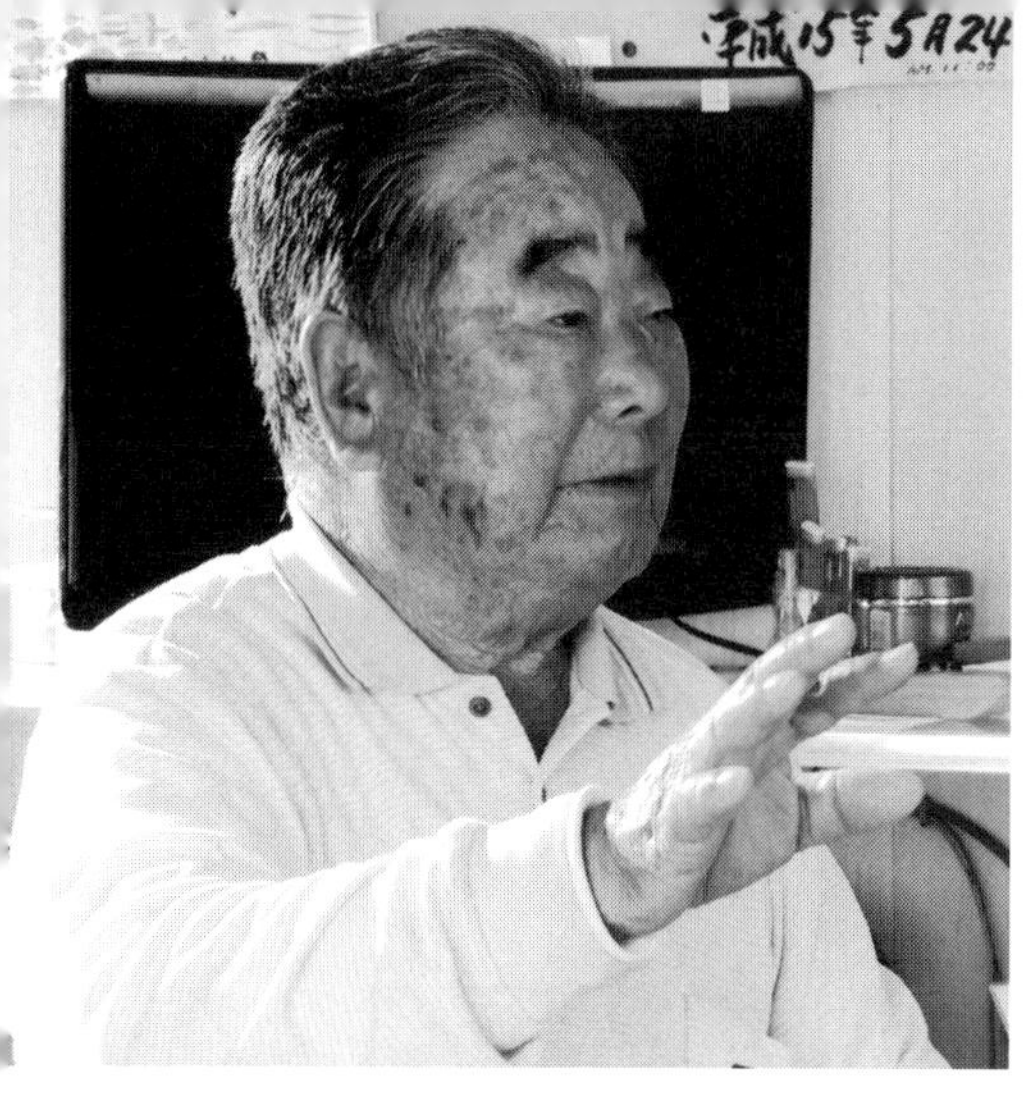

原発の対岸で釣り船業を営む波涛弘

原発は暮らしに必要な電力を供給し、地域に雇用も創出する。原発を嫌う人たちもいるが、「人間は電気なしに暮らせん。いま、日本の国を育てていこうと思ったら、原発に頼るしかないと思うわ」と波涛は語っている。原発の老朽化についても、「四十年たったら新しいものをつくればいい。以前原発をつくったときより、いまの人間のほうが賢くなっとるから、もっとええもんができるやろう」。

後藤は十七歳年上の波涛に、福島の事故後に国内のすべての原発が停止しても電力は足りていたことや、太陽光・風力など再生可能エネルギーの開発が進んで原子力に頼る時代は終わりつつあること、原発をめぐっては使用済み核燃料や放射性廃棄物の処分など未解決の問題が数多く残されていることなどを訴えた。こうした議論に対し、波涛が声高に異を唱えることはなかったが、原発が地域にもたらす「恩恵」を肯定的にとらえる姿勢を変えることもなかった。原発とともに生きてきた地元住民を納得させるのは難しいことだった。

しかし、小浜市の僧侶、中嶌哲演(なかじまてつえん)との対話は、後藤をおおいに刺激した。

脱原発を求める僧侶と

中嶌は、千二百年以上前に征夷大将軍、坂上田村麻呂が創建したといわれる真言宗の明通寺(みょうつうじ)で、太平洋戦争開戦翌年の一九四二年に生まれ、育った。小浜市郊外の山の中腹に建つ寺の本堂と三重塔は国宝に指定されている。

子ども時代の寺周辺の様子を「草深い山寺で、二十戸足らずの村に降りていくと、田んぼは一面のれんげです。梅雨になると、れんげの田んぼを牛にすきを引かせて起こすわけですよ。れんげの花が有機肥料になったんでしょうかね。村の人たちは、そういう暮らしぶりでした」と思い返す。

田の害虫を駆除するため、松明をともし、太鼓を鳴らして虫を追う「虫送り」の行事も行なわれていたが、それがいつしか廃れて誘蛾灯が登場し、その後は農薬にとってかわられた。田からは牛の姿が消え、耕耘機が動きまわるようになる。以前は自転車を持っている住民も少なく、山で切りだした木材を駅に運ぶ馬車に乗せてもらうのが楽しみだったが、小学校の高学年になって分教場から本校に移ると、通学のさいはバスに乗るようになった。農村の風景の変化は、技術の進展がもたらしたものだった。静かな農村・漁村にはまもなく、原発が姿を現す。「田舎の子どもだった私たちは牧歌的な時代を経て、若狭に原発が集中するとんでもない時代を迎えることになりました」と語る中嶌は、脱原発団体で活動し、原発の運転差し止めを求めた訴訟などで原告団に名前を連ねてきた。

僧侶兼脱原発の活動家となるまでには紆余曲折を経てきた。思春期には「寺の息子とはどんな存在なのか」と思い悩んだすえに、「坊主になるのは嫌だと、外に向けて脱出」を図り、東京芸大に進学。しかし、東京は一九六四年のオリンピックを控え、夜中でも地下鉄工事の音が聞こえてくるような騒々しい町になっていて、文学や哲学、芸術のことばかりを考えていた中嶌は不眠症に陥るなど、精神的な苦悩を抱えるようになった。安保闘争の余韻が残り、友人に誘われてデモや集会にも何度か参加したが、「関心をもつことはできなかった」。

結局、「寺に生まれ育った自分は、そんなものは嫌だとそこを出てきたはずなのに、生と死というお釈迦様が問題にしていた根本的なことを、わざわざ東京まで来て追いかけていたんだと気がつきました」。オリンピック開催の前年、今度は東京を脱出し、和歌山県の高野山大学に入学した。そこで「（生まれ育った）明通寺に輪をかけたような自然環境に癒やされた」という。

その年、高野山大学の友人に声をかけられ、原水爆禁止運動の平和行進に参加した。「でも、平和のために、なんていう使命感みたいなものをもっていたわけではなく、たんに誘われたから、ちょっとつき放したようなクールな距離感をもって参加しただけでした」。ところが、ある被爆者が丸一日、中嶌のそばを離れずにつきまとい、みずからの「地獄の体験談」を語りつづけたのだという。「私は自分の周りに目に見えない防弾ガラスを張りめぐらしていたつもりだったのですが、それがうち破られてしまったような衝撃を受けました」。

原水禁運動は政党間の対立などから分裂したが、中嶌は「分裂で苦しんでいる被爆者のために何かをしなきゃいけない」と考えていた。大学を卒業し、僧侶として小浜に戻ると、地元にも十数人の被爆者が暮らしていることを知る。一人ひとりを訪ねて話を聴くと、放射線被曝による健康不安を抱えていることや、広島・長崎で原爆専門医の診察を受けたいと考えていることなどがわかった。受診のための資金を行政に求めたが、前向きの対応は示されず、中嶌はカンパを集めるために托鉢を始める。

そのころ、さらに原発を誘致しようとの動きが地元であり、「被爆者の話で放射能の恐ろしさを痛感していたので、（原発誘致を）許してはいけないと思い」、脱原発運動にもかかわるようになった。原子力施設について調べているうちに、原発内部で働く人びとも放射線被曝を余儀なくされ、「被爆者が新たに拡大再生産されている」ことを知ったのは大きな衝撃だったという。

中嶌がもうひとつ注目したのは「原発の立地構造の問題」だった。

若狭で原発が建設されたのは「半島部の、陸の孤島といわれるようなところばかり」。小学校教員だった松本浩も指摘したように、急な病を発症しても医者に診てもらうことすらできないような過疎地の「道路や橋がほしい」との願いにつけ込むように、原発が押しつけられていった。しかも、そこでつくり出される電力を享受するのは、遠く離れた都市圏。「日本のどこでも、人口が少なくて住民が弱い立場におかれている地域ばかりに原発が集中している。科学技術の視点からは原発の『安全神話』っていう問題がよく指摘されるけど、私はなによりも、お金がらみで原発建設を押し進める差別性を許すことができないんです」と、厳しい口調で中嶌は後藤に話した。「私は坊主だけど、怒り心頭にならざるをえない。ましてや真言宗は、髪を逆立てて怒っている明王（みょうおう）さんがいますからね」。

水俣病と対峙した宇井純は一九七三年の群馬県での講演で、都会の人間は、水俣病やイタイイタイ病などは田舎の漁民や農民がかかる病気だと考えていたが、光化学スモッグの発生でようやく、東京の高級住宅地の住民にとっても公害は他人事ではなくなった、と指摘していた。原発も、大きな事故が起きてはじめて、遠隔地の住民も身近な問題として意識する。中嶌の話は、公害と原発に共通する問題点を指摘しているようだった。

中嶌と後藤の対話は、日本を含め世界が新型コロナウイルスの感染拡大に直面している時期に行なわれた。この問題をとらえて中嶌は、「コロナ対策で経済活動を多少犠牲にしなければならなくなった。私たちの命、安全を守ることが政府の至上命題で、それによって暮らしに損失が生じることがあれば、そこはきちんと手当てしなさいよ、ってことを私たちは意識的に求めるようになりました。これは原発問題も同じで、私たちの真の安全、命を守ることを最優先とするために、まずは原発をやめる、さらに、原発にかかわっていた事業者や受け入れを余儀なくされていた地域が、強迫観念のようにもたされてきた経済的損失に対する不安を解消する」ための手当てが必要だと述べた。

若狭で対談した人びとに後藤は、自分は原発の問題を明確にするために原子力産業のなかに飛び込んだものの、葛藤にさいなまれてきたことを率直に語ったうえで、原発の設計に携わってきた技術者として、福島の事故や放射性廃棄物の処理などの問題について、世の中に「発信する義務があると考えている」と話した。かつて、科学技術により生活を豊かにしようと技術者をめざした宇井純は、みずからの仕事の「必然的な帰結に水俣病と公害があるとしたら、私

脱原発に取り組んできた中嶌哲演を訪ねた後藤

はどうすればいいのだろうか」とつらい思いを記していたが、加害者としての自覚をもつ後藤に対し、中嶌は「ありがたいかかわり方をしていただいたんですね」とねぎらうように言葉をかけた。

中嶌自身は、技術の進歩が人びとの暮らしを豊かで効率的にする面があり、脱原発運動に身をおいてはいても「技術者の方々と真っ向から対立することは考えていない」という。逆に、原発訴訟で原告の住民側に立って支援する技術者や科学者らと出会い、人間としての共通の基盤があると感じてきた。

後藤に対しても「技術者としての後藤さんと、若狭の一住民、一仏教者としての私とのあいだには、原発問題をめぐって接点を見いだすことができています。これからは、戦争から原発推進まで猪突猛進してきた日本の近代化・現代化の流れをあらためて問い直す、そういう作業を、技術者と宗教者、一般の市民が共同で行ないながら、おたがいの対話や交流を深めていきたいと思います」と語った。

後藤にとっては、うれしい言葉だった。

「小さな私たち」の「小さな一歩」

このときの旅には、現代技術史研究会の会員でドキュメンタリー映画監督の坂田雅子も同行し、後藤と若狭の人びととの対話を映像に記録した。

戦後七十五年以上が経過するなかで、技術の発展は豊かな生活を実現してきたが、一方で、公害や原発事故、地球温暖化など負の遺産ももたらしてきた。利益や効率を追い求めるあまり、人間らしく働くことの意義はどこかに置き去りにされ、持てる者と持たざる者の格差は拡大し、勝ち組・負け組などという下劣な言い方もされるようになった。自分たちは、どこかで誤った方向に進みはじめていたのではないか？　公害も原発も温暖化も、難しい問題は専門家である科学者や技術者まかせにし、技術が与えてくれる「果実」だけを享受してきたつけが、いま、回ってきているのではないのか？

こうした疑問に対する答えを探す過程を、再生可能エネルギー導入に向けた取り組みをドイツで取材した『モルゲン、明日』に続く作品としてつくってみたいと坂田は考えていた。

『モルゲン、明日』は、こんな言葉で結ばれている。

「身近なことから一歩を踏み出せば、それは大きなものにつながっていく。私たちに与えられた豊かな自然。それが五十年後も百年後も、いや、もっと持続するために、私たちに今、できることはある。小さな私たちでも、集まれば大きな力になれるのだ」

この映画の完成から四十年近くまえ、坂田の母・静子もチラシ『聞いてください』（一九七九年一月二十日発行）で、当時、日本の原発が十八基に達したことについて、自分自身を鼓舞するようにこう記している。「原発ラッシュの前に無力感を覚えることもあります。でもまた元気を出して考え直します。蟻だって集まれば巨象を倒すこともできるではないか、と。そうです。一人ひとりの力は小さくても、そこに共通した強い意志があれば、歴史の流れを変えてゆくこともできるはずです」。

現代技術史研究会の会員たちは、大量生産・大量消費がもてはやされる組織、社会にあって、それとは異なる道を模索してきた。一個人の行動が、より大きな存在から押し潰されるのを避けるため、みずからの立場や身分を隠す慎重な振る舞いとならざるをえないこともときにはあったが、同じ志をもつ仲間が身近にいることを支えに、権威に盲従することなく、職業人として自立した生き方をしてきた。それが、技術者としての責任の果たし方であり、誇りでもあった。

　現技史研そのものが強大な力をもつことはなかったが、それぞれの会員はそれぞれがいる場所でみずからの加害者性も強烈に意識しながら、「生きるための技術」「人間のための技術」の確立をめざしてきた。「小さな私たち」の「小さな一歩」が、いつかは大きな変化をもたらし、世界を変えていくことができるかもしれないと信じて。

「思想の地下茎」は、着実に広がった。

あとがき

新聞などに記事を配信する通信社の記者として仕事を始めた一九八六年、原稿は大きな升目の原稿用紙に手書きしていた。最初に配属された関東の地方都市で、仕事場から手書きの原稿を東京の本社にファックスで送ると、デスクと呼ばれる編集者らがチェックし、活字となって全国の新聞社に送信される。新聞社の編集部門では記事を受けとると、見出しの大きさなどを検討しつつ紙面に割り付け、印刷に回す。そこには大きな輪転機を回す人たちがいて、刷り上がった新聞は、これまた大きな何台ものトラックに積み込まれて各地の販売店に運ばれる。悪天候であっても、自転車やオートバイで各家庭に配達する人たちがいて、読者がニュースを目にすることになる。

支局に赴任してまもないある朝、自分が県警の記者クラブで手書きした原稿が、その日の夕刊に掲載されているのを見たときには、不幸な交通事故の記事ではあったものの、記者になったのだと実感すると同時に、取材、執筆から紙面掲載、配達までのわずか数時間に、どれだけ多くの人たちがニュースを届けるためにそれぞれの役割をはたしたのかと考え、柄にもなく身の引き締まる思いがした。

当時は、事件や事故の現場から公衆電話で記事を支局に読み込む（口述で伝え送る）こともあるから、十分な数の十円玉をつねに持ち歩けと指示されていた。ポケットベルはあったが、携帯電話の普及はだいぶ先のことだ。現場で撮影した写真を支局に届けるため、カメラから抜いたフィルムだけをタクシーの運転手さんに託したことも何度かあった。

その後、原稿用紙はワープロ、パソコンにとってかわられ、現場からでも記事や写真をダイレクトに編集部門に送信できるようになった。こうして届いた原稿に手を入れ、新聞社に送るまでのプロセスも短くなったが、一方で、記者と、その記事を受けとる新聞社のあいだにあった通信社社内の仕事の多くがなくなった。そんな動きに抗い、同僚たちの仕事を守ろうと原稿用紙での記事執筆を続けた記者もいたが、それが許されたのも長い時間ではなかった。

今後、ニュースを伝える媒体としてスマートフォンなどの比重がさらに増し、新聞という紙媒体がなくなることがあれば、印刷したり輸送したり配達したりといった業務も消えてしまうことになる。そうした仕事全体が、民主主義を支えるための「報道」という営みを形成しているはずなのだが。

自分の記事が読者に届くまでに介在する見も知らぬ人たちの存在に、新人記者がおぼえた緊張感や畏敬の念なども過去のお話になるのだろう。それでも、と考える。そうした感情は、子どものころから生意気で協調性の欠片（かけら）もなかった自分を少しばかり謙虚にし、誠実に仕事をすることを意識させたのではなかったか。スマートフォンの送信ボタンを押すだけで情報をまたたくまに拡散することのできる時代、発信した内容が「炎上」を引き起こしたり書かれた人を傷つけたりするのは、発信する側が自分の行為について、畏れなどもなく無頓着になっているからではないのか。

技術が進歩すれば、それまで必要とされていたものや人が存在価値を失い、人びとの意識や価値観さえも変わってしまうことがある。それによってなしくずし的に諦めざるをえなかったもの、放棄せざるをえなかったものも少なくない。現代技術史研究会の会員たちは、みずからの仕事がそうした社会の転換をもたらすことを強く意識し、利益優先の企業の論理に従えば人びとを不幸にすることもある「技術」の力を、それとは逆の方向に作用させようとしてきた。そのために、望ましい技術、職場のあり方について所属組織の枠をこえて議論を重ね、ときには素性を隠してでも思うところを社会に訴えかけた。

私自身は、子どものころから理数系の科目が苦手で、文学部を出て記者になってからもテクノロジーや科学について取材した記憶はほとんどない。一方で、パソコンでの記事執筆や写真送信などによる編集プロセスでの合理化の進展が、報道そのもののクォリティーの向上につながったのかどうかは、つねに疑問に思っていた。報道現場の急速なデジタル化に違和感をおぼえていたころ、たまたま現技史研の存在を知り、そこに集まった技術者たちがどのように仕事をし、戦後という時代と向きあってきたのかを記録しようと、旧知のドキュメンタリー映画監督、坂田雅子さんと取材を始めたのは、世界中が新型コロナウイルスの感染拡大に直面していた二〇二〇年の秋のことだ。坂田さん自身も、技術者ではないが現技史研の会員であることは本文中に記したとおりである。

会員にインタビューするさいは、その人が書いたものなどに事前に目を通すようにはしていたが、文系の私には理解できない箇所も多々あり、初歩的な質問にあきれられたことが何度もあったはずだ。それでも真摯に対応してくれる会員たちからは、これまであまり表に出してはこなかった現技史研の軌跡を後世に残したいという、強い思いが伝わってきた。コロナ禍にもかかわらず、快く取材に応じていただいた方々には感謝の言葉もない。

取材のなかで「現技史研に鍛えられた」「現技史研に支えられた」という言葉を何度も聞き、会に対する愛着の強さを感じる一方、そんな仲間と出会えたことがうらやましくもあった。八十代の会員三人が久々に再会する場に居合わせたこともあったが、同窓会での昔話的な話題にとどまらず、先端技術についても批判的に語りあう姿には感銘を受けた。会員たちの話を聞きながら、「技術者」を「記者」に置き換え、これまで書いてきた記事の方向性は間違っていなかったのか、自立した人間として仕事をしてきたのかと自問することが何度もあった。

現技史研は現在も会報・会誌の発行を続け、月一回程度開かれる例会では、原子力や太陽光、風力発電など今日的課題について活発な議論を展開している。各会員は、停年などで所属組織を離れたあとも技術をめぐる問題について思索を続け、コロナ禍でも、例会はオンラインで開催された。希有な職能集団としての現技史研が今後も会員の人生を支え、技術や社会のありようをにらみ続ける存在であってほしいと願っている。

このささやかな記録により、「秘密結社」の活動の一端が少しでも多くの人に知られ、会のいっそうの活性化につながれば嬉しいことだ。

本書の出版では、太郎次郎社エディタスの須田正晴さん、北山理子さんにお世話になった。拙稿をていねいに読んでいただき、構成などについて的確な指摘、助言をちょうだいした。出版事情の厳しい時代に、地味な原稿を引き受けていただいたことに感謝したい。

記者として駆け出しのころ、同社の前身である太郎次郎社が出版した教育や社会問題についてのルポルタージュをむさぼるように読んでいた。そこから自分の原稿を出していただくのは、本当にありがたいことだ。

長時間に及ぶインタビューを文字起こししてくれたのは阿部海（あべかい）さんである。現技史研のみなさんの話に関心と共感を寄せてくださり、「おもしろかった」との言葉は原稿の執筆を後押ししてくれた。

また、立教大学共生社会研究センターと、同センターのアーキビストで私の妻の平野泉の協力なしには本書は成立しえなかったことも記しておきたい。センターには何度も足を運び、現代技術史研究会の会報・会誌や『技術と人間』のバックナンバーなどを閲覧した。数十年前の資料に目を通していると、タイムマシンなんてなくても時代をさかのぼることができるのだという不思議な感覚にとらわれる。ＳＦの世界は、技術の進歩はなくても、プリミティブな道具、方法で体験できるのかもしれない。

二〇二二年十一月

平野恵嗣

参考文献

◎単行本

武谷三男編『自然科学概論　第3巻　科学者・技術者の組織論』勁草書房、一九六三年
星野芳郎編『日本の技術者──合理化と近代化の嵐に抗して』勁草書房、一九六九年
星野芳郎編『公害発生源──汚染防止の有効性と限界』勁草書房、一九七四年
宇井純『キミよ歩いて考えろ』ポプラ社、一九七九年
湯浅欽史『自分史のなかの反技術』れんが書房新社、一九八三年
田中直編『転換期の技術者たち──企業内からの提言』勁草書房、一九八九年
高橋昇編『ある発言』技術と人間、一九九五年
佐伯康治『物質文明を超えて──資源・環境革命の21世紀』コロナ社、二〇〇一年
坂田雅子『花はどこへいった──枯葉剤を浴びたグレッグの生と死』トランスビュー、二〇〇八年
現代技術史研究会編『徹底検証　21世紀の全技術』藤原書店、二〇一〇年
井野博満編『福島原発事故はなぜ起きたか』藤原書店、二〇一一年
坂田静子『聞いてください──脱原発への道しるべ』オフィスエム、二〇一一年
高橋昇・天笠啓祐・西尾漠編『「技術と人間」論文選　問いつづけた原子力　1972─2005』大月書店、二〇一二年
高草木光一編『思想としての「医学概論」──いま「いのち」とどう向き合うか』岩波書店、二〇一三年
宇井純著、藤林泰・宮内泰介・友澤悠季編『宇井純セレクション①　原点としての水俣病』『同②　公害に第三者はない』『同③　加害者からの出発』新泉社、二〇一四年
山本義隆『私の１９６０年代』金曜日、二〇一五年

平野恵嗣『水俣を伝えたジャーナリストたち』岩波書店、二〇一七年
特定非営利活動法人APEX編『APEX30年の歩み――適正技術の社会化をめざして』APEX、二〇一八年
青谷知己・小倉志郎・草野秀一・後藤政志・後藤康彦・山際正道『原発は日本を滅ぼす』緑風出版、二〇二〇年
大野和興・天笠啓祐『農と食の戦後史――敗戦からポスト・コロナまで』緑風出版、二〇二〇年
天笠啓祐『ゲノム操作と人権――新たな優生学の時代を迎えて』解放出版社、二〇二〇年

◎**新書、文庫、ブックレット**

武谷三男『現代技術の構造』技術と人間、一九七五年
武谷三男編『狭山裁判と科学――法科学ノート』社会思想社、一九七七年
野坂昭如編『科学文明に未来はあるか』岩波書店、一九八三年
高木仁三郎『市民科学者として生きる』岩波書店、一九九九年
高木仁三郎『原発事故はなぜくりかえすのか』岩波書店、二〇〇〇年
武田晴人『高度成長』岩波書店、二〇〇八年
石橋克彦編『原発を終わらせる』岩波書店、二〇一一年
後藤政志『「原発をつくった」から言えること』クレヨンハウス、二〇一一年
田中直『適正技術と代替社会――インドネシアでの実践から』岩波書店、二〇一二年

（このほか、現代技術史研究会の会誌『技術史研究』や会報『現代技術史研究会会報』、雑誌『技術と人間』などに掲載された論稿、投稿、記事などを参照した。）

写真提供

井上駿　p.17　p.61
後藤政志　p.19　p.161　p.195　p.209
桑原史成　p.29
坂田雅子　p.31　p.53　p.63　p.67　p.77　p.101
p.123　p.143　p.157　p.183　p.193
（撮影：纐纈あや）p.215　p.217　p.221
田中直　p.127
国土地理院　地図・空中写真閲覧サービス　CKU20101-C14-8　p.59
朝日新聞社『アサヒグラフ』1955年12月28日号（パブリックドメイン）　p.87

資料提供

立教大学共生社会研究センター　p.153　巻末資料ほか

「技術史研究」創刊の辞

技術が今日程すばらしい力を持ったことはかつてなかった。それはも早や人間を自然の荒々しい手から守るだけでなく、逆に自然をつくりかえ、新しい環境をつくり、人類の新しい可能性をいくつも生みだしてゆきつゝある。

しかし又、技術が今日程恐れられていることもかつてない。すぎ去った大戦で、それがどれ程狂暴な力をふるったか人々は決して忘れていない。そして今又、技術がひたすら戦争にむけて押し進められ、更に幾層倍かの残忍さで襲いかかろうとしていることを人々は知っているからである。

すばらしい人類の未来を約束する技術が、か様に人類の破滅を招くものとして恐れられていることは、云い知れぬ不幸と云わなければならない。しかしその不幸は、技術をもって生産に直接たずさわる技術者に目をむける時、最も深く入りくんだ矛盾としてあらわれている。今、平和を求める若い世代の間で、技術のあり方に対する、又技術のたどってきた道に対する広い関心がたかまっているのは、このあらわれと云わなければならない。

私達のささやかなサークルも、又この一つの現れなのであった。将来技術をもってたつ者が、この様な技術の矛盾に対してもつ鋭い問題意識と、正しい技術を求める強い意欲とが、私達の研究に熱をもたせ、討論を活潑にしてきたのである。

だから私達は、無意味な懐古趣味か、イデオロギーの単なる粉飾にすぎない従来の技術論、技術史に賛同できない。今、（一年有余の研究による）小さい実りを世に問うためこの発表機関をもつことにしたのも、この様に激しい現実の中から、真に実践的な技術史を生みだしたいがためなのである。生産の場で苦しむ技術者・研究者・学生をはじめ、多くの平和と豊かな生活を求める人々の賛同と支援を、強い御批判と共に心からお願いしたいと思う。

創刊号（一九五二年六月二十日発行）より

現代技術史研究会　会則

制定　１９５７年（２０１３年改正版）

（０）会の目的

現代における技術の発展は驚くほど速く、また著しい。あらゆる技術・工学が、その性格を一変しつつある。我国においても技術が無限に発展する可能性が、存在しているはずである。

我々は日本の技術が真に豊かに発展する中で、我々が技術的生産活動の中に喜びを見出し、その成果が国民の幸福のためにのみ使われ、自らは人間的に豊かな生活を送ることを希望している。

しかし、この希望は、現在容易に満たされるとは考えられない。我国の技術界には、次のようないろいろな矛盾が山積して、我々の希望の実現を阻んでいる。

1　我国の技術は、先進諸国に比べて、極めておくれた面をもち、部分的に進んだ技術的成果があっても、それはしばしば我国の劣悪は労働条件や低賃金と結合するものであったり、あるいは先進国の成果の部分的改良であって、技術全体が大きなアンバランスを含んでいる。

2　技術自体の発達にもかかわらず、大部分の技術者に与えられる仕事は、内容貧弱な雑務にすぎず、我々の技術的抱負を満足させるに足るものではない。そのことが技術者のあいだに、不満や沈滞した空気を醸し出している。

3　技術の発達にもかかわらず、二三の表面的な事柄を除けば、技術者自身も国民大衆も、技術の発展の恩恵に浴することが少ない。むしろ、技術者が新しい技術を開発することが、労働者や一般国民の幸福と対立する場合が極めて多い。

4　技術者の開発した技術が、社会的要因で眠らされ、あるいは無視された結果、技術的発展の豊かな可能性が閉ざされ、さらには当然避け得たはずの大小の災害が引き起こされた事例も極めて多い。

5　国際間の不幸な対立と、我国の誤った政治の故に、一部の技術者には軍事研究が押しつけられ、また多くの技術者は、自分たちの研究成果が、破壊的兵器の生産に用いられることを恐れている。

このような状態は、技術者にとっても国民全体にとっても、不幸なことである。我国のこの状態を改善するために、多くの人々がさまざまな活動を行なっている。我々の現代技術史研究会も、技術者の集団としての性格に立脚しつつ、これら多くの人々と協力して、我国の不幸な状態を改善しようと努力している。

このような我々の希望を実現するために、さしあたって、我々は次のような研究活動が必要であると考える。すなわち、

1　技術の発展方向についての広い視野を持つこと。

2　技術と社会との関連を明らかにすること。
3　勤労者の立場に立った技術の健全な発展方向を探求すること。
4　技術者のおかれている社会的位置と役割を明らかにすること。
さらに以上の研究活動を行なうにあたって、我々は次のごとき基本態度をとる。
1　研究の対象を、歴史的、発展的な姿でとらえるように努めること。
2　研究の成果は、会員個々人の日常さまざまな実践活動の中で、国民の幸福のために生かされること。
3　我々の希望を実現するに当たっては、多くの技術者、勤労者と手をたずさえ、会の社会的発言を強めて行くこと。
このような立場に立って、我々は現代技術史研究会に結集し、さらに広く日本の技術者、研究者をはじめ、我国の技術に関心を持つすべての人々の、参加と協力とを求めるものである。

(1)会の名称
本会は、「現代技術史研究会」と称する。

(2)会の事業
2・1　本会はその目的を達成するために、次の事業を行なう。
a　例会、分科会、その他の集会の開催
b　会誌および会報の発行
c　出版活動
d　その他、本会の目的を達成するために必要な事業
2・2　例会では、技術問題についての総括的な研究発表、および討論を行なう。
2・3　分科会は必要に応じて開催し、技術問題の個々の専門的なテーマについて、研究発表および討議を行なう。
2・4　例会及び分科会の他に、必要に応じて集会を開催する。
2・5　会誌には、論文・寄書・職場通信・会員通信その他を載せる。
会誌は、原則として年1回以上発行する。
会誌は、会員には無償で配布する。
残部を生じた場合には、会員以外の希望者にも、実費を徴して配布する。
2・6　会報には、会の活動に関する通知事項、例会・分科会・地方集会の報告、会員通信、職場通信、書評その他を載せる。
会報は、原則として2か月に1回以上発行する。必要ある場合は、臨時に発行する。
会報は、会員のみに、無償で配布する。
2・7　本会は、会の研究成果を出版して一般に頒布し、か

つその出版活動によって得る利益　を、会の運営資金にあてることができる。

（3）会の組織構成

3・1　本会には、次の機関をおく。
総会、委員会、事務局

3・2　総会は本会の最高意志決定機関である。
総会は、毎年1回、年度交代期に、委員会が招集する。委員会が特に必要と認めた場合、および全会員の5分の1以上の要求があった場合には、臨時に開催する。
次の諸件は、総会の承認がなければならない。
a　活動報告、決算、活動方針
b　予算案、委員の選出と任命
総会が必要と認めた事項は、会員の全員投票に付託する。

3・3　委員会は、総会で選出された委員で構成し、総会の決定に基づいて会を運営する。

委員の互選する委員会議長が、委員会の議事をとりまとめる。

委員会は、年3回以上、委員会議長が招集する。又、委員会議長は、委員総数の5分の1の要請があれば、委員会を招集しなければならない。


3・4　委員会の下に事務局をおく。

事務局は、事務局長および、委員会の任命する事務局員若干名を以て構成する。

事務局は、会誌・会報・各種通知状の発送、会員原簿、名簿の作成、保管、会費徴収、会の事業に関係する収支の管理、会の財産の保管、運用、その他の会の日常事務を行なう。


3・5　本会に支部をおくことがある。

支部は、委員会の指導のもとに設立される。

支部の組織と運営は、委員会との連絡のもとに、支部において決定する。

（4）会員

4・1　本会の目的に賛同し、入会申込書に入会金500円をそえて事務局長の許に提出したものは、会員として登録される。

4・2　会員は、次の権利を持つ。
4・2・1　例会・分科会・その他の集会に出席して、研究成果を発表し、また討議に参加することができる。
4・2・2　会報・会誌に投稿することができる。
4・2・3　会報・会誌の配布を受け、また会の事業活動についての各種の通信連絡を受ける。
4・2・4　総会に出席して、討議および議決に参加できる。
4・2・5　委員を選出し、また立候補して委員に選出されることができる。
4・2・6　委員会に出席して議事を傍聴し、また意見をのべることができる。

4・3　会員は次の義務を負う。

4・3・1　会員は、所定の期日までに会費を納入しなければならない。
会費は、年額5000円(12月末日において学生の会員は3000円)とし、1年毎の前納制とする。ただし、10月から翌年3月までに入会した会員は、その年の会費として、上記の半額を納入すればよい。
4・3・2　会員は、会の名称を乱用して、会の目的に反する言動を行なってはならない。
4・4　会員がその義務を怠った場合は、次の措置を受ける。
4・4・1　会費納入の義務を怠り、当該年度を含む2年間の会費を納入しなかった会員は、2年目の年度末に会員としての権利を停止される。さらに1年未納の場合は退会とみなす。
4・4・2　会の名称を乱用して、会の目的に反する言動を行ない、そのためにいちじるしく会の利益または社会的信用を傷つけた会員については、委員会がその措置を決定する。

(5)財政

5・1　本会の会計年度は、毎年4月1日に始まり、翌年3月末に終る。
なお、年度を前期と後期に分ける。
5・2　本会は、会費、入会金、会誌資料等の売上金、事業収入、寄附金、借入金を収入として、事業活動に必要な支出
ること
が出来る。
5・4　本会の予算案は委員会で作成し、総会の承認に基づいて執行する。
予算執行の責任は、委員会が負う。
5・5　本会の決算は、半期毎に会報によって全会員に報告し、また年度毎に総会に、報告する。
5・6　総会は、会計監査委員を任命する。会計監査委員は、監査結果を総会に報告する。また、委員会に出席して、本会の財政運営に関して、必要な勧告を行なう。
5・7　支部は、そこに属する会員から、支部費を徴集することができる。
支部の財政は、年度毎に、支部員および委員会に報告される。

(6)会則の改正

本会則を改正する場合には、総会における過半数の賛成を得て、改正案を全会員の投票に付し、有効投票数の3分の2以上の賛成を得なくてはならない。

現代技術史研究会　関連年表

年	現技史研の活動	社会のできごと
一九四五年		・第二次世界大戦終結
一九四六年	●民主主義科学者協会創設	
一九五〇年		・朝鮮戦争勃発
一九五二年	●『技術史研究』創刊	
一九五四年		・第五福竜丸がビキニの水爆実験で被災
一九五五年	●ゼミ名称を「現代技術史研究会」に変更	・森永ヒ素ミルク事件 ・イタイイタイ病が新聞記事に登場
一九五六年	●会報第1号を発行	・原子力基本法が施行 ・水俣病が公式確認
一九五七年	●現史研第一回全国総会を開催 ●正会員百十二名	・旧ソ連が人類初の人工衛星打ち上げ
一九五九年	●正会員二百七名 ●宇井純が日本ゼオンを退職、水俣病の調査を始める	
一九六〇年		・日米安保条約を自民党単独で強行採決
一九六一年	●星野芳郎が「科学者・技術者の権利宣言」を提唱	

小社刊『もの言う技術者たち』の
235ページに以下の誤りがありました。
訂正してお詫び申し上げます。
太郎次郎社エディタス

一九六二年
・全国総合開発計画を閣議決定

一九六三年
●宇井純の「水俣病」報告が会誌上で始まる

一九六四年
●「四日市公害見学」合宿
・東海道新幹線が開通

一九六五年
・新潟水俣病が公式確認

一九六七年
・公害対策基本法が公布

一九六九年
●『日本の技術者——合理化と近代化の嵐に抗して』刊行
・アポロ十一号が人類初の月面着陸

一九七〇年
●自主講座「公害原論」開講
・大阪万博・美浜原発が送電を開始

一九七一年
●会誌で「成田空港パイプライン中止訴訟」を特集
・美濃部都知事が「ごみ戦争」を宣言

一九七二年
●会の運営を若手に引き継ぎ
●雑誌『技術と人間』創刊
・ローマクラブが『成長の限界』を発表

一九七三年
・第一次石油危機

一九七四年
●『公害発生源——汚染防止の有効性と限界』刊行
・原子力船「むつ」が放射線漏れ事故

一九七七年
●会誌で特集「都市問題と交通」
●会誌で特集「〝海外進出〟を撃つ」
・狭山事件、最高裁が上告棄却し判決が確定

一九七八年
●冊子「もうひとつの就職案内」作成
・国民総背番号制に反対する「杉並の会」を結成

年		
一九七九年		・米スリーマイル島原発事故
一九八二年	●会誌で特集「コンピュータ問題」	・IBM産業スパイ事件で日立、三菱の社員ら逮捕
一九八四年	●市民向け連続ゼミナールを開始	・印ボパール化学工場事故
一九八五年	●宇井純、自主講座最終講義。翌年から沖縄へ	・日航ジャンボ機が御巣鷹山に墜落
一九八六年		・米スペースシャトル「チャレンジャー」爆発 ・チェルノブイリ原発事故
一九八七年	●特定非営利活動法人（NPO法人）APEX発足	・国鉄が分割・民営化
一九八八年	●会誌で特集「事故をめぐって」	
一九八九年	●後藤政志が東芝原子力部門に入社 ●『転換期の技術者たち——企業内からの提言』刊行	・日本労働組合総連合会（連合）発足
一九九七年		・地球温暖化防止のための協定「京都議定書」を採択
一九九九年	●会誌で特集「現代技術史研究会と星野芳郎」	・茨城県東海村の核燃料加工会社JCOで臨界事故

年	出来事		社会の動き
二〇〇〇年			・化学物質排出管理法が施行
二〇〇一年		●坂田雅子の夫、グレッグが肝臓がんで急逝	・日本初のＢＳＥ（牛海綿状脳症）の感染確認
二〇〇三年			
二〇〇五年	●『徹底検証〜』刊行に向け分科会を開始	●『技術と人間』終刊	
二〇〇六年	●会誌別冊で関東地方の水系とゴルフ場排水を特集	●宇井純、七十四歳で死去	
二〇〇七年	●星野芳郎を偲ぶ会	●星野芳郎、八十五歳で死去	・中越沖地震、東電柏崎刈羽原発で火災発生
二〇一〇年	●『徹底検証　21世紀の全技術』刊行		
二〇一一年	●会誌で東日本大震災を特集　二十八名が寄稿		・東日本大震災
二〇一三年			・「水銀に関する水俣条約」採択
二〇二一年	●会誌第89号を発行		
二〇二二年		●ＡＰＥＸが活動終了	

平野恵嗣（ひらの・けいじ）
1962年、岩手県生まれ。86年に上智大学文学部英文学科を卒業、共同通信社に入社。水戸、釧路、札幌編集部を経て、国際局海外部、編集局国際情報室で勤務。おもな取材テーマはアイヌ民族、死刑制度、帝銀事件、永山則夫事件、「慰安婦」、LGBTQ、水俣病など。90年代半ば以降は英文記事で発信してきた。94～95年、米コロンビア大学ジャーナリズム・スクール研究員（モービル・フェロー）として、マイノリティ・グループの子どもの教育現場を取材した。著書に『水俣を伝えたジャーナリストたち』（岩波書店）がある。

もの言う技術者たち

「現代技術史研究会」の七十年

2022年 12月 20日　初版印刷
2023年 1月 20日　初版発行

著者　平野恵嗣

発行所　株式会社太郎次郎社エディタス
東京都文京区本郷3-4-3-8F　〒113-0033
電話 03-3815-0605　FAX 03-3815-0698
http://www.tarojiro.co.jp/
電子メール tarojiro@tarojiro.co.jp

装丁・レイアウト　矢萩多聞
本文組版　トム・プライズ
印刷・製本　シナノ書籍印刷

定価はカバーに表示してあります
ISBN 978-4-8118-0857-4　C0036

太郎次郎社エディタスの本

野田正彰（著）
教師は二度、教師になる
——君が代処分で喪ったもの
四六判・上製・240ページ／2000円＋税

子どもとの関わりのなかで、人はいかにして「教師になる」のか。自らの職業倫理に基づいて強制に抗った13人への詳細な聴きとりを通じ、彼らの教育観を伝え、その葛藤のありようを精神医学の視点から読み解く。

永江朗（著）
私は本屋が好きでした
——あふれるヘイト本、つくって売るまでの舞台裏
四六判・並製・256ページ／1600円＋税

無為無策のまま放置された〝憎悪の棚〟は書店・出版業界の何を象徴し、日本社会に何をもたらしているのか。書き手、出版社、取次、書店へ取材。「ヘイト本」現象を生みだす〝しくみ〟と、書店と出版の仕事の実像を明らかにする。

友兼清治（編著）
遠山啓
——行動する数楽者の思想と仕事
四六判・上製・400ページ／3000円＋税

水道方式と量の体系、数学教育の現代化、障害児の原教科教育、競争原理批判……。数学者・教育者・思想家にして教育運動の実践者。その仕事の全貌を本人の著述とともに描きだす。「遠山啓著作集」の編集者がまとめた初の評伝。

ピーター・メイヨー（著）　**里見実**（訳）
グラムシとフレイレ
——対抗ヘゲモニー文化の形成と成人教育
四六判・上製・352ページ／4500円＋税

世界各地の社会運動のなかで、もっとも熱く語り交わされている二人の思想家の行為と言説を横断的に分析し、かつ批判的に相対化しつつ、グローバル資本主義の下で社会の変革を追求する成人教育の今日的な課題と可能性に光をあてる。

※表示価格は税別です。